D1127502

HELGA SCHALKHÄUSER
Riccardo Muti

HELGA SCHALKHÄUSER
Riccardo Muti
Begegnungen und Gespräche

———————

Mit einem Vorwort von
Yehudi Menuhin,

32 Fotos und 13 Textillustrationen
sowie einem Verzeichnis der Opernproduktionen
bei den Salzburger Festspielen seit 1971 und
am Teatro alla Scala, Mailand, seit 1986

——————— *LangenMüller* ———————

Bildnachweis

Anne Kirchbach, Starnberg: 8, 32; Bianca Bianchi, Mailand: 24, 25, 28, 29; dpa, München: 9, 10, 11, 21; Interfoto, München (Foto: Lelli & Masotti/Teatro alla Scala di Milano): 22; Istituto Geografico De Agostini, Novara/Archivio Igda, Mailand: 23; Privat: 13; Salzburger Festspiele, Archiv (Foto: Weber): 4, 14, 15, 30, 31; Felicitas Timpe, München: 2, 12, 20; Sabine Toepffer, München: 5, 6, 7, 16, 17, 18, 19; Ullstein Bilderdienst, Berlin: 1, 27; Votavafoto, Wien: 3, 26

Alle Operntitel sind kursiv gesetzt, ebenso Titel von Musikwerken, die häufig auf der Bühne dargestellt werden.

© 1994 bei Langen Müller
in der F.A. Herbig Verlagsbuchhandlung GmbH, München
Schutzumschlag: Bernd und Christel Kaselow, München,
unter Verwendung eines Fotos von
Interfoto, München (Foto: Lelli & Masotti/Teatro alla Scala di Milano)
Satz: Filmsatz Schröter GmbH, München
Gesetzt aus 12/14.5 Lino Walbaum auf Linotronic 300
Druck und Binden: Wiener Verlag, Himberg
Printed in Austria
ISBN 3-7844-2517-8

*Für meine Eltern
und meinen Mann*

Inhalt

Zu diesem Buch

Riccardo Muti verdanke ich einige meiner denk-würdigsten und schönsten Momente der Musik, ob ich als Solist mit ihm spielte oder Zuhörer war. Ich werde mich immer an die wundervolle Begleitung von ihm und seinem Philadelphia Orchestra bei dem Bloch-Konzert erinnern, das wir zusammen aufgeführt haben, und an die wirklich unvergeßliche *Così fan tutte* in Salzburg.

Auch möchte ich anmerken, daß er der liebenswürdig-ste Kollege ist, den ich habe, und in bester italienischer Tradition ein Mann von Vitalität, Temperament und Ideenreichtum.

Ich bin hocherfreut, daß dieses Buch viele Menschen auf einen faszinierenden Mann mit solch großartiger Begabung aufmerksam macht.

Yehudi Menuhin

Vorwort

Grundgedanke dieses Buches ist es, Gespräche, Begegnungen und Interviews, die zwischen Maestro Riccardo Muti und mir im Laufe von zehn Jahren stattfanden, in einem durchgehenden Text zusammenzufassen. Daraus resultiert, daß die chronologische Abfolge nicht konsequent beibehalten werden konnte. Vor- und Rückgriffe sind Bestandteile der beabsichtigten Darstellungsform dieses Porträts aus der Nähe.

Meine Begegnungen fanden in den Jahren 1981 bis 1992 statt. Um Lücken zu schließen, habe ich mir erlaubt, da und dort auf Fremdpublikationen zurückzugreifen. Der zeitliche Rahmen der Gespräche umfaßt Stationen im Leben und in der Karriere von Maestro Riccardo Muti, die heute bereits historisch sind, aber unverändert gültig in der Aussage.

Riccardo Muti hat 1992 die Chefposition beim Philadelphia Orchestra abgegeben und konzentriert sich, neben weltweiten Gastverpflichtungen, vornehmlich mit den Wiener Philharmonikern, auf seine Position als musikalischer Leiter der Mailänder Scala.

Ich möchte mich an dieser Stelle bei Maestro Muti und seiner Frau Cristina für die Zusammenkünfte, die in

freundschaftlich-lockerer Art verliefen und zu effizienten Ergebnissen führten, sehr bedanken.
Mein Dank gilt auch Lord Menuhin, der freundlicherweise bereit war, diesem Buch einführende Worte mit auf den Weg zu geben.

Berlin
1987

Die Musikalität hat er für sich gepachtet. Die Autorität auch. Der Italiener Riccardo Muti, sechsundvierzig Jahre alt, und im Roulette der weltbesten Dirigenten am Zenit angelangt, bekennt sich zum Taktstock-Diktator. Lächelnd! Er kennt seine Ausstrahlung. Weiß, daß er mit seiner Besessenheit die Musiker zu Höchstleistungen hinreißen kann. Was heißt kann? Muß! Auf ihm, dem jugendlichen Maestro, lastet ein schweres Erbe: Seit er im Dezember 1986 zum musikalischen Direktor der Mailänder Scala bestellt wurde und damit von seinem Vorgänger und Landsmann Claudio Abbado Stab und Zepter übernommen hat, weiß er nur zu genau, daß es für ihn ums Ganze geht. Der »Enkelschüler Toscaninis«, wie ihn seine geneigten Kritiker gerne apostrophieren, macht denn auch bei jedem Trommelwirbel, den er entfacht, immer deutlicher: Nicht mehr die Gesetze der Unsterblichen sollen gelten, sondern seine! Trotzdem hält er hartnäckig an jenen selbstgewählten Maximen fest, die ihm die Weltkarriere beschert haben: Werktreue, fast preußisches Pedantentum und die stramme Absage an die Allüren der allergrößten Stars. »Ja, ich bin da ungeheuer strikt«, sagt er ernsten Blickes. »Wo es nichts zu loben gibt, kann ich auch nicht lächeln. Und wem das nicht paßt, der kann sich gerne einen anderen Dirigenten suchen.«

Ein Mann wie Muti kann sich das leisten. So hat er – wir schreiben das Jahr 1987 – die immer lauter werdenden Ankündigungen, die ihn als Karajan-Nachfolger handeln, als unqualifizierte Pressespekulationen eingeordnet, von denen er nichts hält und die er mit souveränem Achselzucken vom Tisch wischt. »Ich spekuliere nicht, habe es nie getan. Auch weiß ich nicht, ob ich im gegebenen Fall wieder ein neues Orchester übernehmen würde. Das wäre gegenüber den ›Philadelphiern‹ ebenso unfair wie gegenüber der Scala. Außerdem steht es überhaupt nicht zur Diskussion. Und einer, der sich auf die Warteliste setzen läßt, bin ich nicht und werde ich nie sein. – Meine Karriere ist gelaufen«, setzt er fast lakonisch nach. »Das Problem der nächsten Jahre wird sein, mich ganz mit der Musik auseinanderzusetzen. Karajan ist ein großer Dirigent und mir ein echtes Vorbild. Aber zunächst ist jeder er selbst, basta!« Dazu gehört, daß Muti in harten Proben nicht nur sein Philadelphia Orchestra, dessen Chef er seit 1980 ist, auf seine Töne eingeschliffen hat. Der Maestro jetzt schwärmerisch: »Es ist nun, nach sieben Jahren, so ganz mein Kind, hat den Klang, den ich mir wünsche.« Er macht kurz Pause, fährt fort: »Vierundvierzig Jahre unter dem grandiosen, legendären Eugene

Ormandy, der mein Vorgänger war, sind deswegen nicht vergessen.«

Auch die Musiker der Scala akzeptieren ihn. Wissen, daß es bei jedem Auftritt um eine Eroberungsschlacht geht. Wo auch immer. In Berlin, wo er im Oktober 1987 mit dem Verdi-Requiem in Ost und West den italienischen Beitrag zur Siebenhundertfünfzig-Jahr-Feier lieferte, fiel die Festung der Skepsis vor so hohen Ansprüchen im ersten Ansturm.

Ich treffe den Meister am Tage, nachdem er das Verdi-Requiem im Westen der geteilten Stadt, in der Philharmonie, dirigiert hat, unterhalte mich mit ihm in einem stillen Eckchen der Kempinski-Hotel-Lobby. Spüre, daß der Erfolggewohnte den Sieg vom Vorabend noch nicht bewältigt hat. Muti, sonst sehr souverän und eloquent, gibt sich im Gespräch leise und zurückhaltend. Schlicht sagt er: »Ich bin weder für die Routine, noch fürs Äußerliche. War nie für die Fassade. Strebe nach innerer Vollkommenheit für die Musik – und wenn ich es schaffe, auch für mich.« Seine Gedanken kreisen um die neuen Projekte, um sein Haus in Ravenna, die Familie. »Ich habe alle meine Gastverpflichtungen auf ein Minimum reduzieren müssen«, sagt er, schaut an mir vorbei und zündet sich eine Zigarette an. »Bis auf gelegentliche Gastspiele in Wien, Berlin und Salzburg werde ich zukünftig nur noch in Philadelphia oder Mailand sein«, und meint wie abschließend: »Wer mich hören will, wird dorthin kommen müssen.«

Der Herr, den ich von früheren Begegnungen im sport-
lichen Jeans- und Pulloverdreß kenne, macht diesmal
den Eindruck des superseriösen Bankers: grauer Na-
delstreifen, weißes Hemd, dunkelblaue Krawatte. Er
lacht herzlich, als ich auf seine veränderte Kleiderord-
nung zu sprechen komme, meint launig: »Es wird Zeit,
daß ich mich allmählich vom legeren Jugendlichen
trenne.« Immerhin ist er im Laufe der Jahre zum
mehrfachen Ehrendoktor avanciert.

Was es privat Neues gibt, frage ich. »Immer dasselbe.«
Noch immer kein Privatflugzeug, noch immer der ei-
serne Wunsch, kein Opfer der Schickeria zu werden?
Er meint, damit hätte er, wenn schon, viel früher
anfangen müssen. Beläßt es bei seinem bekannten
Credo: Hin und wieder gute Gespräche mit interessan-
ten Freunden zu führen, mal ein Buch zu lesen, durch
Museen zu bummeln. Plötzlich sagt er sehr ernst: »Ich
will und brauche mehr Zeit fürs Zuhause, für meine
Frau und die Kinder. Ich will nicht, daß die Familie
mich eines Tages nur noch als einen Exoten des Mu-
sikbetriebs in Erinnerung hat.«

Kein Zweifel: Die familiäre Korsettstange braucht der
Vielgefeierte, sonst würde er das Arbeitspensum, das er
ständig absolviert, nicht verkraften. Und wenn er nicht
gerade in einem anderen Erdteil zu tun hat oder die um
einige Jahre jüngere Ehefrau Cristina ihn begleitet,
scheut er keine Strapazen, wenigstens für ein paar
Stunden an den häuslichen Herd »einzufliegen«. Was

mit dem eigenen Wagen zu machen ist, packt er seit Jahren sportlich selbst. Der Meister der schnellen Tempi ist häufig in sechs Stunden mit seinem Mercedes von Ravenna nach Salzburg gerast. Zwischen den Aufführungen an einem Tag hin und zurück. Und wenn das nicht möglich ist, telefoniert er täglich mehrmals mit den Kindern, bespricht die Dinge, die sie auf dem Herzen haben. »Unbehaust zu sein, so wie es die Karriere jetzt seit Jahren mit sich gebracht hat, habe ich mir als Dauerzustand nie vorstellen können«, sagt Muti nachdenklich. Er, sonst eher ein Verweigerer in Sachen Privates, schaut mich so eindringlich an, als wäre ich einer seiner Musiker, der falsch intoniert hat, und sagt – keinen Widerspruch in der Stimme duldend: »Cristina und ich sind beide das Gegenteil von sogenannten Jet-settern. Wir hassen alles, was mit Rummel zu tun hat. Wir halten uns raus, wann immer das möglich ist. Meine Frau hat meinetwegen ihr Gesangsstudium aufgegeben, weil sie der Meinung war, daß *ein* Verrückter in der Familie reicht und die Kinder normal aufwachsen müssen. Ich verbringe Dreiviertel meines Lebens mit fremden Menschen. Und auch wenn man ganz allein am Pult steht, sind mindestens zweihundert Personen – Orchester, Solisten, Chor – um einen herum. Unser Haus ist der einzige Platz, wo ich total abschalten kann. In den wenigen freien Stunden, die bleiben, will ich auch möglichst niemanden aus der Branche hier haben. Denn dann wird bekanntlich nicht über Musik gesprochen, sondern nur über andere hergezogen.«

Kurze Pause. Muti steckt sich noch eine Zigarette an, wird plötzlich milde und meint: »Wenn ich arbeite, vertrage ich Berieselungsmusik überhaupt nicht.« Und dazu gehört auch, daß er sich nur sehr selten Platten von Kollegen anhört. Das hat, wie er ausdrücklich betont, aber nur mit Zeitmangel zu tun. »Sie wissen«, sagt er jetzt lächelnd, »die Beatles entspannen mich. Genauso wie mein kleines Gärtchen, das früher ein Klostergarten war.« Jetzt schwärmt er begeistert von seinen »Hauswundern«. Riccardo Muti, dem hartes Kalkül ebenso nachgesagt wird wie Reserviertheit bis an den Frackkragen, entschuldigt sein Gemütsfaible damit, daß er Süditaliener sei. »Gefühlsduselei betreibe ich auch mit meinem Studio – dort, wo alles Musik atmet, die Bücher, die Partituren, die Bilder von Brahms, Beethoven, den Nationalgott Verdi nicht zu vergessen.« Und dann vehement: »Wenn ich dort bin, tauche ich in eine Welt, die keine Grenzen hat, denn in der Musik gibt es für mich so etwas nicht.«

Im Allerheiligsten hängt sein Lieblingsbild: »Es ist Pulcinella aus der Commedia dell'arte, und das hat ein bißchen mit meinem Charakter zu tun. Pulcinella zeigt der Welt die Zunge, hält links Spaghetti, rechts eine Flasche Wein und hat hinter sich die Sintflut, korrekter gesagt, das blaue Meer und den Golf von Neapel.«

Dazu paßt auch seine Antwort auf die Frage, ob es

denn etwas gäbe, was ihm noch mehr Spaß mache als Dirigieren? »Nichtstun, das ist der schönste Job. Am liebsten ginge ich mit fünfzig in Pension, dann könnte ich endlich den ganzen Tag alle meine schönen Dinge zuhause anschauen, Oliven ernten und Tomaten züchten.«

Ein Telefonanruf unterbricht unser Gespräch, ein Hotelpage bittet ihn zur Telefonzelle. Riccardo Muti steht nicht sofort auf, will anscheinend noch eine Sekunde lang einem Traum nachhängen, der sich nicht verwirklichen läßt – dem Traum vom normalen Leben. »Berühmtsein kostet seinen Preis, Maestro«, murmle ich halblaut in die dann folgende Gesprächsstille, als Riccardo Muti sich ruckartig erhebt.

Herzliche Verabschiedung, ich klappe mein Tonbandgerät zu, schaue dem Davonstürmenden nach, schlendere langsam durch die Hotelhalle, betrete den Kurfürstendamm. Riccardo Muti läßt mich nicht los. An den Litfaßsäulen hängen noch die Ankündigungen seiner Auftritte in der Philharmonie, in den nahe liegenden Musikalienläden wirbt seine Schallplattenfirma mit Fotos seiner suggestiven Dirigierposen.

Wieder in meinem Kempinski-Apartment, mache ich es mir im Sessel bequem, lege die Beine hoch, höre noch mal das Interview ab. Meine Gedanken gehen zurück zu unserer ersten Begegnung...

Florenz
1981

Unsere erste Begegnung fand 1981 statt. Damals, ich muß es offen zugeben, war mir Riccardo Muti nur ein vager Begriff. Meine ganze Verehrung gehörte seinerzeit Herbert von Karajan. Er war zweifellos der unumschränkte Musikmagier der Epoche. Als es mir durch Zufall gelungen war, ihn in der Berliner Philharmonie zu treffen, bedeutete das für lange Zeit den Höhepunkt meines Journalistenlebens. Das Gespräch mit dem Chef des Berliner Philharmonischen Orchesters verlief kurz, herzlich, sehr persönlich; es diente der Vorbereitung eines der von ihm selten gewährten Interviews. Das Ereignis ist mir bis heute in lebhafter Erinnerung und zählt zu jenen seltenen Glücksfällen, um die man sogar in meiner Branche beneidet wird.

Fortune hatte ich auch mit anderen berühmten Zeitgenossen, die ich als verantwortlicher Redakteur eines renommierten Magazins zur Person und zuhause »einvernehmen« durfte: Das Jahr 1981 bescherte mir eine Vielzahl hochinteressanter Bekanntschaften. Daß ich die Flugzeuge und Standorte wechselte wie andere ihre Hemden, gehörte zum Metier. Ich saß Friedrich Dürrenmatt in seinem Schweizer Haus ebenso gegenüber wie Marcello Mastroianni in seiner Villa an der römischen Via Appia Antica und war Gast von Paula Wessely und Attila Hörbiger in der Himmelstraße in Grinzing bei Wien. Schließlich trank ich mit Roald Dahl im englischen Cottage französischen Landwein, machte Besuch auf Schloß Sissinghurst bei Nigel Nicolson. Während ich mit ihm die Vergangenheit seiner berühmten, schreibenden Eltern beschwor, fotografierte Lord Snowdon. Der königliche Fotograf war auch bei Englands berühmten Schriftstellern John B. Priestley und Jeffrey Archer mit von der Partie. Zu den Literaten, die zu dieser Zeit jenseits des Teiches am meisten Furore machten, gehörte Erica Jong; sie lud mich in ihr New Yorker Apartment ein. Auch Amerikas Langzeit-Enfant-terrible Norman Mailer gab mir in jenem Jahr zum ersten Mal die Ehre. Er besuchte mich im renommierten St. Regis'-Hotel an der Fifth Avenue. Gabriele Wohmann, die stille Intellektuelle, die ich um ihr verwunschenes Häuschen in Darmstadt immer beneidet habe, zählte ebenso zu meinen Gesprächspartnerinnen der Extraklasse wie die in Wales geborene Sopranistin Margaret Price, die ich im Münchner »Hotel an der Oper« beim Lunch »ausfragte«, und die in München beheimatete Kammersängerin Brigitte Fassbaender. Mit ihr verband mich unter anderem die gemeinsame Sympathie für Riccardo Muti. Sie war nicht einseitig. Wie sich später herausstellte, hält der Maestro große Stücke auf die Mezzosopranistin.

Im Auftrag meiner Redaktion fahre ich also im April 1981 nach Florenz, um Riccardo Muti, den Leiter des Maggio Musicale, zu treffen. Meine Aufgabe: Porträt des jungen Aufsteigers am Dirigentenhimmel. Allgemeines ist gefragt. Verabredete Zeit: halb vier Uhr nachmittag, Ostersamstag.

Der mich begleitende italienische Fotograf hatte die Begegnung organisiert. Um einigermaßen präpariert zu sein, habe ich mich mit einem guten halben Dutzend Schallplatten eingedeckt und die Basisinformation zu seiner Vita auf den Plattenhüllen quasi auswendig gelernt.

Je näher wir dem Teatro Comunale kommen, desto nervöser werde ich und finde dafür eigentlich gar keine Erklärung. Der Fotograf beruhigt mich, bezeichnet den Maestro als total zuverlässig. Meine Sorge, womöglich vor verschlossenen Türen zu landen, versucht er beredt zu zerstreuen. Die von mir befürchtete Pleite folgt dann allerdings fast auf dem Fuße.

Vor dem Bühneneingang angelangt, springe ich hektisch aus dem Wagen und laufe auf einen dunkelhaarigen jungen Mann zu, der dort einigermaßen verloren herumsteht. Er ist gerade im Begriff, sein Auto zu besteigen. Sein Outfit: braune Lederjacke, blaue Jeans, Sporthemd und Missoni-Pullover, dunkle Sonnenbrille. Unterm Arm trägt er einen dicken Wälzer, in der Hand hält er einen übergroßen Schlüssel. Ich kenne Muti natürlich von Fotos und aus der Ferne des Orche-

stergrabens, als er im Münchner Nationaltheater 1979
die inzwischen fast legendäre *Aida* leitete, habe ihn mir
aber ganz anders vorgestellt: als Prototyp des modisch
durchgestylten Einsachtzig-Italieners. Der, auf den ich
verunsichert zustürze, sieht nicht entfernt so aus. Nämlich jungenhaft, sportlich-salopp, mittelgroß. Auf
meine zweifelnde Frage, ob er Maestro Muti sei oder
der Hausmeister, mustert er mich zunächst ziemlich
kritisch, dann kommt langsam, in frostigem Ton:
»Richtig, der erstere bin ich. Sind Sie vielleicht die
deutsche Journalistin, auf die ich seit einer Stunde
warte? Ich gehe jetzt.«
Der blaue Himmel über Florenz scheint sich plötzlich
zu verdüstern, es braut sich etwas zusammen, habe ich
den Eindruck, stottere meine Entschuldigung, erzähle
ihm etwas von meiner angeborenen Pünktlichkeit und
einem offensichtlichen zeitlichen Mißverständnis. Der
herbeieilende Fotograf, der seine Felle auch davon-
schwimmen sieht, gesteht, sich in der Zeit geirrt zu
haben, gestikuliert auf den Maestro ein, schlägt sich
nach Mea-culpa-Manier ständig an die Brust. Ich
blicke nicht mehr durch, sehe nur noch schwarz. Muti,
plötzlich lächelnd und aufgeräumt, sperrt das Portal
wieder auf, meint, an mich gewandt, daß er sich nolens
volens auf eine Stunde einlassen wolle, schließlich sei
er ein Menschenfreund!
Er bittet uns in sein Dirigentenzimmer, das nur schlicht
und mit dem Notwendigsten möbliert ist. Coraggio

jetzt, schießt es mir durch den Kopf, während Riccardo Muti sich chevaleresk für das spartanische Acqua minerale entschuldigt, das er mir nur anbieten kann. Für ein paar Sekunden entsteht eine beklemmende Situation, wir sprechen kein Wort, keiner will mit dem ersten Satz heraus. Da hilft der gewitzte Fotograf nach, indem er mit großem, lautstarkem Aufwand seine Kameras installiert und so die Regie übernimmt.

Dieser Riccardo Muti ist ein blendend aussehender, drahtiger Typ, wie ich, jetzt wieder ganz Frau der Lage, feststelle. Schon bei dieser ersten Begegnung erinnert er mich an einen aus der Malerei der Renaissance bekannten venezianischen Dogen. Er lacht, als ich ihm das burschikos sage, um das Gespräch in Gang zu bringen. Daß seine Mimik und Gestik von melancholisch-introvertiert bis zu imperatorisch-extrovertiert wechselt, streitet er nicht ab. Mit einer Auftaktbewegung, die meine Aufmerksamkeit auf seine besonders schön geformten Pianistenhände lenkt, sieht er mich forschend mit seinen ausdrucksstarken schwarzbraunen Augen an. Ich stelle meine erste Frage, will wissen, wie es eigentlich mit seiner Karriere gelaufen sei.

Der junge Festival- und Orchesterchef rückt sich bequem im Sessel zurecht, stellt das Tonband nahe zu sich heran, gemahnt mich und sich mit einem Blick auf seine Uhr, daß die Zeit drängt. Dann beginnt er konzentriert zu erzählen – wir haben uns auf die englische Sprache geeinigt, wechseln aber auch gelegentlich ins

Italienische –, daß er seinen Werdegang nie geplant habe. Alles war gekommen, wie es geschehen mußte. Muti glaubt an sein Schicksal und auch daran, daß Menschen, die den Erfolg erzwingen wollen, ihr Ziel nie erreichen. So scheint es ihm auch fast wie ein Geschenk für harte Arbeit, daß er nun auf dem Sessel des Chefdirigenten in Florenz sitzt. Denn nach seinem ersten Dirigat dort konnte er das beileibe nicht ahnen. Ähnlich war es mit London und Philadelphia. Und so, damit ich es auch deutlich vernehme und nicht überhöre, beugt er sich nach vorne und läßt mich mit seiner sonoren Stimme wissen: »Ich bin immer sehr streng mit mir umgegangen, und ebenso mit meiner Einstellung zur Musik.« Als einen, der sich selbst fordere, beschreibt er sich, und der deshalb das gleiche von den Musikern erwarte. Mit scheuem Lächeln fügt er an, daß er trotz oder gerade wegen dieser Grundsätze die Musiker nicht dafür tadele, wenn sie einen Fehler machen. Irren ist also auch für Herrn Muti menschlich. Und dann zitiert er sein großes Vorbild Toscanini: »Wenn der Taktstock sprechen könnte, wüßte er schreckliche Dinge zu erzählen. Denn wenn ein Musiker auf seinem Instrument etwas falsch macht, merkt das jeder. Der Dirigent kann seine Fehler vertuschen, wenigstens vor dem Publikum.«

Muti hat gesprochen. Der Fotograf will die ersten Bilder schießen. Ich bin vorübergehend »arbeitslos«, habe Muße, den Maestro eingehender zu beobachten.

Mein erster Eindruck bestätigt sich: Was ist das doch für ein rassiger Typ! Ich versuche ihn mir am Dirigentenpult vorzustellen und Parallelen zwischen ihm und Toscanini zu finden. Äußerlich kann ich keine entdekken, gleichwohl auch Toscanini ein sehr gutaussehender Mann war.

Ein paar Jahre später lese ich aus berufener Feder (und stelle selbst in zahlreichen Konzert- und Opernaufführungen fest): »Riccardo Muti am Pult zu erleben, das kommt in vielem dem nahe, was an Toscanini gerühmt wurde. Man bekommt dabei den Eindruck einer brennenden, vehementen und durchschlagenden Musikalität, eines energischen Willens, einer bravourösen Hochspannung – alles typische Toscanini-Qualitäten. Mit solchen Assoziationen hat es Muti leicht und schwer zugleich. Muti eilte vielfach der Ruf eines strengen, unerbittlichen, für die Musiker mitunter auch unerquicklichen Pultdespoten voraus. Es entstand die Legende von einem jungen Tyrannen, mit dem es kein Orchester aushalten konnte. Erschien der junge Gastdirigent dann tatsächlich am Pult, erwies sich alles als halb so schlimm. Statt Furcht oder Ablehnung erntete Muti immer mehr Bewunderung und Anerkennung durch die Sauberkeit seines Handwerks, die Geradheit und Triftigkeit seiner Interpretation, die staunenswerte Ausweitung seines Opern- und Konzertrepertoires. Daß ein äußerst kritischer und disziplinierter Musiker sich schon in jungen Jahren als Beherrscher vielfältiger

Musikidiome erwies, ließ ihn rasch in die erste Reihe der weltweiten Kapazitäten seines Fachs vorrücken. Unter den bedeutenden italienischen Dirigenten der Gegenwart ist Muti gewiß der im traditionellen Sinne ›italienischste‹.«

Als der Fotograf uns gemeinsam ablichten will, wird meine Denkpause abrupt unterbrochen, Konzentration ist wieder angebracht. Der Maestro meint, daß es doch auch für ihn ganz interessant sei, seinen Werdegang – das Wort Karriere schätzt er nicht besonders – im Gespräch wieder einmal vorüberziehen zu lassen. Aufgeräumt und heiter bemerkt er, daß er inzwischen schon ein Altgedienter hier in Florenz sei, seit seinem Debüt mit *I masnadieri* von Verdi nach Schillers *Räubern*. Er wurde 1968 zum musikalischen Direktor des Teatro Comunale und des Maggio Musicale Fiorentino berufen. Als ich versehentlich mit meinem Schuh an ein Paket stoße, das auf dem Boden liegt, greift Muti blitzschnell danach, legt es vor uns auf den Tisch und rügt scherzend meine mangelnde Ehrfurcht vor den großen Meistern. Es handelt sich um die Partitur der *Iphigénie en Tauride* von Christoph Willibald Gluck, an der er zur Zeit arbeitet. Am 28. April 1981 soll Premiere in Florenz sein.

Seit 1972 ist Muti zusätzlich Chefdirigent des Philharmonia Orchestra in London. Tiefes Durchatmen seinerseits, denn sein Leben teilt sich seit diesem Zeitpunkt zwischen den Engagements in London und Florenz sowie diversen Gastverpflichtungen. 1977 kam zusätzlich die Arbeit mit dem Philadelphia Orchestra dazu. Das Jahr 1980 schließlich bescherte ihm die Chefposition dieses amerikanischen Eliteorchesters. Meine Zwischenfrage, warum man ihn so selten in Deutschland hören kann, erübrigt sich damit fast von selbst. Aber Muti will es nicht so stehenlassen, sondern bekräftigt seine große Zuneigung zu Deutschland und Österreich. Er erwähnt seine häufigen Konzerte mit den Berliner Philharmonikern, auch daß er seit 1971 zu den ständigen Gastdirigenten bei den Salzburger Festspielen zählt. Ein gewisser Stolz in der Stimme ist nicht zu überhören. Muti, der Leiter dreier großer Orchester ist, will unbedingt klarstellen, als wir uns so zwanglos gegenübersitzen, daß es nur Zeitprobleme seien, die ihn so selten nach Deutschland führen. Und nicht verlegen darum, mit seinem Alter zu kokettieren, bezeichnet er sich zu Recht als Greenhorn im Vergleich zu den beiden großen deutschen Dirigenten Karl Böhm und Herbert von Karajan. Ungefragt gibt er zu, sie zu verehren. Meine Rückfrage, ob diese beiden – weltweit anerkannte Institutionen des Musiklebens – eines Tages womöglich von den Jüngeren, so wie ihm, ersetzt werden könnten, beantwortet er nicht sofort. Statt dessen zündet er sich eine Zigarette an, nippt am Wasserglas, räuspert sich und meint, daß es außer ihm ja noch Georg Solti, Lorin Maazel, Claudio Abbado oder Carlo Maria Giulini gibt. Daß drei von ihnen Italiener sind,

BAYERISCHE STAATSOPER
NATIONALTHEATER MÜNCHEN

Donnerstag, 22. März 1979

Neuinszenierung

AÏDA

Oper in 4 Akten, Text von Antonio Ghislanzoni

Musik von

GIUSEPPE VERDI

In italienischer Sprache

Musikalische Leitung: Riccardo Muti

Inszenierung: Franco Enriquez

Bühnenbild und Kostüme: Beni Montresor

Chöre: Wolfgang Baumgart

Choreographie: Paolo Bortoluzzi

Besetzungszettel der Premiere »Aida« von Giuseppe Verdi an der Bayerischen Staatsoper, München 1979

PERSONEN

Der König . . . . Nikolaus Hillebrand

Amneris, seine Tochter . . . . Brigitte Fassbaender

Aida, äthiopische Sklavin
und Dienerin der Amneris . . . . Anna Tomowa-Sintow

Radames, Feldherr . . . . Placido Domingo

Ramphis, Oberpriester . . . . Robert Lloyd

Amonasro, König von Äthiopien
und Vater Aidas . . . . Siegmund Nimsgern

Ein Bote . . . . Norbert Orth

Priesterin . . . . Marianne Seibel

Das Bayerische Staatsorchester · Der Chor der Bayerischen Staatsoper

Das Ballett der Bayerischen Staatsoper
mit Paolo Bortoluzzi

Musikalische Assistenz: Klaus v. Wildemann

Regieassistenz und Abendspielleitung: Oscar Arnold-Paur und Ronald H. Adler

Studienleitung: Günther von Noé
Bühnenmusik: Hans Martin
Inspektion: Horst Wruck
und Hermann Frieß
Souffleur: Hans Vogt
Mitarbeiterin des Regisseurs:
Vera Lúcia Calábria

Technische Gesamtleitung: Helmut Großer
Dekorationsgestaltung:
Atelier: Ulrich Franz/Harald Dvorak
Werkstätten: Gerhart Kekek
Bühne: Josef Gebert/Andreas Nunberger
Beleuchtung: Wolfgang Frauendienst
Leiter des Kostümwesens: Günter Berger
Kostümgestaltung: Silvia Strahammer
Masken: Rudolf Herbert

Anfang 19.00 Uhr

Große Pause nach dem 2. Akt
Kleine Pause nach dem 3. Akt

Ende ca. 22.30 Uhr

Die Bayerische Staatsoper dankt Herrn und Frau Zäch, München, für ihre groß-
zügige Spende, mit der die Neuinszenierung der »Aida« unterstützt wurde.

sei schierer Zufall. Ob er je berühmt werde, das heißt so
berühmt wie Karajan oder Böhm, will er nicht diskutieren.
Bescheiden, bescheiden, denke ich nur und spreche
nicht aus, was er womöglich denkt: Man wird eben
leider nur zum gängigen Begriff, wenn man ständig in
den Schlagzeilen steht. Und den Deutschen ist er noch
nicht zu diesem Begriff geworden.
Muti spürt meine diesbezüglichen Zweifel, fährt selbst-
sicher fort, daß die Situation in England anders sei. Da
kenne man ihn aufgrund seiner Position sehr gut.
Als ich erwähne, daß ich seine *Aida* im Jahre 1979 am
Münchner Nationaltheater gehört hätte, freut ihn das
ganz offensichtlich. Er strahlt. Und nicht ohne Grund,
denn diese Aufführung ist für alle, die sie erlebt haben,
zum unvergeßlichen Ereignis geworden. Und leicht
vorgebeugt, mit den Händen gestikulierend, erinnert
er sich an Orchester, Solisten und Chor der Bayerischen Staatsoper, mit denen er blendend zurechtge-
kommen sei. Mehr will er über diesen Erfolg nicht
sagen, nur, daß er mindestens vierzig Tage intensiver
Arbeit zur Einstudierung eines solchen Werkes
braucht. »Dies ist der Grund, warum ich mich pro Jahr
auf höchstens drei Opernproduktionen einlasse. Wenn
es sich machen läßt, sollten es zwei in Italien sein, und
eine im Rest der Welt. Für 1983 plane ich Verdis
Rigoletto an der Wiener Staatsoper.«
Die Donaumetropole ist für Muti kein unbekanntes

Sonntag, 4. Februar 1973 — *Staatsoper*

PREMIERE

In italienischer Sprache

AÏDA

Oper in vier Akten von	Antonio Ghislanzoni
Musik	Giuseppe Verdi
Musikalische Leitung	Riccardo Muti
Inszenierung	Nathaniel Merrill
Bühnenbild	Günther Schneider-Siemssen
Kostüme	Leo Bei
Choreographie	Todd Bolender

Der König	Tugomir Franc
Amneris, seine Tochter	Viorica Cortez
Aida, äthiopische Sklavin	Gwyneth Jones
Radames, Feldherr	Placido Domingo
Ramphis, Oberpriester	Bonaldo Giaiotti
Amonasro, der Vater Aidas, König von Äthiopien	Eugene Holmes
Ein Bote	Eduardo Alvares
Priesterin	Sona Ghazarian

Ballett:	
2. Bild	
Tanz der Priesterinnen	Damen des Balletts
3. Bild	
Tanz der Dienerinnen	Judith Gerber
	Irmtraud Haider
	Christine Wolf
Mohrenkinder	Balletteleven
4. Bild	
Kultischer Tanz:	
Zeremonienpaar	Judith Gerber
	Günther Falusy
	und das Corps de ballet

Die Handlung spielt in Theben zur Zeit der Pharaonen

Sonntag, 29. September 1974 — *Staatsoper*

Bei aufgehobenem Abonnement
Preise IV

NEUINSZENIERUNG

In italienischer Sprache

Die Macht des Schicksals (La forza del destino)

Oper in vier Akten (9 Bildern)	Text von F. M. Piave
Musik	Giuseppe Verdi
Musikalische Leitung	Riccardo Muti
Inszenierung	Luigi Squarzina
Bühnenbild und Kostüme	Pier Luigi Pizzi
Choreographie	Luciana Novaro

Der Marchese von Calatrava	Manfred Jungwirth
Leonora di Vargas, seine Tochter	Gilda Cruz-Romo
Don Carlo di Vargas, ihr Bruder	Kostas Paskalis
Don Alvaro	Franco Bonisolli
Curra, Leonoras Kammerzofe	Axelle Gall
Preziosilla, eine Zigeunerin	Joy Davidson
Pater Guardian	Cesare Siepi
Fra Melitone	Sesto Bruscantini
Ein Alcalde	Harald Pröglhöf
Mastro Trabuco, Maultiertreiber	Kurt Equiluz
Ein Chirurgus der spanisch-italienischen Truppen	Georg Tichy

Volk, Maultiertreiber, spanische und
italienische Soldaten, Ordensbrüder,
Marketenderinnen, Bettler, Diener des
Marchese von Calatrava

I. TEIL, 1. und 2. Akt		SPANIEN
	1. Bild	Landhaus Calatrava
	2. Bild	Schenke
	3. Bild	Kloster
	4. Bild	Berghöhle
II. TEIL, 3. Akt		ITALIEN
5., 6. und 7. Bild		Kriegsschauplätze
	4. Akt	SPANIEN
	8. Bild	Kloster
	9. Bild	Berghöhle
Zeit		Mitte des 18. Jahrhunderts

Donnerstag, 17. März 1977 — *Staatsoper*

Bei aufgehobenem Abonnement
Sehr beschränkter Kartenverkauf
Preise VI

PREMIERE

In italienischer Sprache

NORMA

Oper in zwei Akten von	Felice Romani
Musik	Vincenzo Bellini
Dirigent	Riccardo Muti
Inszenierung	Piero Faggioni
Ausstattung	Ezio Frigerio
Mitarbeit bei den Kostümen	Franca Squarciapino

Pollione, römischer Prokonsul in Gallien	Carlo Cossutta
Oroveso, Haupt der Druiden	Luigi Roni
Norma, Tochter des Oroveso, Priesterin	Montserrat Caballé
Adalgisa, junge Priesterin im Irminsul-Tempel	Fiorenza Cossotto
Clotilde, Normas Freundin	Czeslawa Slania
Flavio, Begleiter des Pollione	Ewald Aichberger

Druiden, Barden, Tempelwächter,
Priesterinnen, gallische Krieger

Ort der Handlung	Gallien, im ersten Jahrhundert vor Christus

Abendspielleiter	Marta Lantieri
	Josef Zehetgruber
Musikalische Studienleitung	Norbert Scherlich
Chorleitung	Helmuth Froschauer
Leitung der Bühnenmusik	Ralf Hossfeld
Assistent des Bühnenbildners	Mauro Pagano

Besetzungszettel der Premieren »Aida«, 1973, »La forza del destino«, 1974, von Giuseppe Verdi und »Norma« von Vincenzo Bellini, 1977, an der Wiener Staatsoper

Pflaster. Bereits 1973 hatte er dort mit *Aida*, 1974 mit
La forza del destino und 1977 mit Bellinis *Norma*
Erfahrungen gesammelt.

Ohne Übergang kommt er plötzlich auf sich und sein
Alter zu sprechen. Schmunzelnd bekennt der im Zeichen des Löwen Geborene, daß er am 28. Juli dieses
Jahres seinen vierzigsten Geburtstag feiert. Als größtes
Geschenk erhofft er sich, an diesem Tage endlich mal
wieder im eigenen Bett schlafen zu können. Und flink
schiebt er nach, so als wolle er das Private am liebsten
ungesprochen machen, daß seine internationale Laufbahn 1973 begonnen habe. Damals war er zweiund-
dreißig. Es war dies der Zeitpunkt, als er gerade von
Otto Klemperer das Philharmonia Orchestra London
übernommen hatte. Muti, plötzlich voller Temperament, hebt hervor – vielleicht eine kleine Referenz an
mich als Deutsche –, daß Klemperer auch Deutscher
gewesen sei. Für ihn ein Mensch von großer geistiger
Kraft und ein hervorragender Dirigent. Er hatte sich
aus Alters- und Gesundheitsgründen zurückgezogen.
Als Muti die »Londoner« übernahm, war der Durch-
bruch geschafft. Und mit leiser Stimme meint er, so als
könne er es immer noch nicht glauben: »Von dem
Moment an ist alles wie von selbst gelaufen.«

Verstohlen blicke ich auf die Uhr, auch die Zeit läuft
und läuft. Die verabredete Stunde ist längst verstri-
chen. Muti, der meine Bewegung richtig deutet, will
plötzlich von einem Zeitlimit nichts mehr wissen, fin-

det offensichtlich Gefallen am Gespräch, zündet sich
die nächste Zigarette an und erzählt weiter. Mir kann
es nur recht sein. Die Stimmung ist gelöst. Lediglich
der Fotograf, der alle Möglichkeiten inzwischen ausge-
schöpft hat, denn weder Muti noch ich bewegen sich
von der Stelle, langweilt sich in seiner Ecke.

Muti schweift in die Vergangenheit, erwähnt seine
Erfolge, die er Anfang der siebziger Jahre mit Gastdiri-
gaten in Berlin, Salzburg, Chicago und Philadelphia
hatte. 1972 dirigierte er zum erstenmal das Philadelphia Orchestra. So gesehen beruht Mutis spätere Ehe
mit diesem Orchester nicht auf Zwangsläufigkeit, sondern war eher einem glücklichen Zufall zu verdanken.
Muti nachdenklich: »Anläßlich einer Europatournee
besuchte das Philadelphia Orchestra mit seinem damaligen Chefdirigenten Eugene Ormandy auch Florenz. Ormandy hatte sich unerkannt während einer
Probe, bei der ich mein Orchester leitete, unter die
Zuhörer gesetzt. Er war so angetan, daß er spontan auf
mich zuging und mich nach Philadelphia einlud. Ab
1977 wurde ich dort ständiger Gastdirigent, es kam zu
regelmäßigen jährlichen Begegnungen.« Die »Liebes-
affäre«, wie Muti es nennt, gestaltete sich so intensiv,
daß er schließlich 1980 Nachfolger Eugene Ormandys
wurde.

Während er mir das erzählt, bewegt ihn offensichtlich
ein anderer, ihm besonders wichtig erscheinender Gedanke. Sofort spricht er ihn aus, rückt ihn in den

Vordergrund: »Es sind übrigens immer die Musiker gewesen, die mich als Chef haben wollten. Das war in Florenz so, auch in London, schließlich in Philadelphia.« Und mit Befriedigung stellt er noch einmal fest, daß sein Aufstieg stets eben von der Entscheidung der jeweiligen Orchester abhängig war. Während er die Zigarette hastig ausdrückt, sagt er mit Nachdruck: »Bei meinen Berufungen waren weder Parteibuch noch Protektionismus je im Spiel.«

Zu seiner Berufung nach Philadelphia gab es derzeit und später viele Stimmen. Eine davon:

»Mutis bravouröse interpretatorische Paradierkunst schien sich insgeheim auf die Bedürfnisse und Traditionen eines Welt-Elite-Orchesters zuzubewegen, so daß das schließliche Zusammentreffen und Aneinander-Gefallen-Finden so etwas wie einen Aha-Effekt in der Musikwelt auslöste: Riccardo Muti hatte haargenau die für ihn richtige Aufgabe gefunden, als er 1980 Nachfolger Eugene Ormandys beim Philadelphia Orchestra wurde, und dieses Orchester hätte keinen für seine spezifische Klangkultur passenderen Dirigenten finden können. Das bedeutete nun nicht, daß Muti ein Abklatsch Ormandys wäre. Eher ist er ein konträrer Typ: schroffer als Orchesterleiter, selbstbezogener in der dirigentischen Attitüde. Wenn Ormandy als ehemaliger Geiger ein lukullisches Klangideal verfolgte, so schätzte Muti als studierter Pianist härtere Konturen und gab damit dem Orchester auch bald einen deutlich

eigenen Stempel. Er brachte sich unmißverständlich
als Exponent einer jüngeren Generation zur Wirkung.
Gleichwohl respektierte seine künstlerische Haltung
die den eigenen Neigungen entgegenkommende
Freude des Klangkörpers an ausgepichter, perfektio-
nierter Spielkultur und deren Demonstration an ent-
sprechend glamourös leuchtkräftigen Werken, wobei
das Vielgespielte ebenso zum Zuge kam wie das weniger Geläufige – auch für solche ›Mischungen‹ war
Ormandy dank immenser Gedächtniskapazität bekannt. Auf Tourneen präsentierte Muti denn auch
keine ausgeklügelten Schon- und Sparprogramme,
sondern mutete sich und den Musikern lebhafte Kraft-
akte zu: Tschaikowskys ›Pathetique‹ neben Prokofieffs
Romeo und Julia-Suiten, Samuel Barbers ›Essay for
Orchestra‹ und Ravels *Daphnis und Chloe*, kombiniert
mit Mahlers 1. Symphonie. So kräftige Kost leisteten
sich nicht einmal die stämmigen New Yorker mit Zubin Mehta.«

Daß er den Ruf nach London als Nachfolger Otto
Klemperers gleichfalls der eigenen Leistung zu verdanken hatte, will Riccardo Muti auch in unserem
Gespräch nicht untergehen lassen. Und wieder klingt
die Story für seine Verhältnisse nicht ungewöhnlich.

1972 reiste er nach London und dirigierte das Philharmonia Orchestra. Das von ihm geleitete Konzert diente
– aber das wußte er nicht – unter anderem der Suche
nach einem neuen Orchesterchef. Muti unterzog sich

dieser Prüfung also völlig unbelastet, in Unkenntnis, daß er in Konkurrenz mit anderen Kandidaten stand. »Die Herausforderung als solche war schon groß genug. Meine Befürchtung, die Musiker hätten mich mit Pauken und Trompeten untergehen lassen können, wenn sie denn gewollt hätten, war unbegründet. Ich hatte meiner Meinung nach mein Bestes am Pult gegeben. Und ich weiß es noch wie heute, daß mich die Orchestermitglieder fast noch begeisterter feierten als die Kritiker.« Als am nächsten Tag die Herren vom Komitee feierlich auf Muti zukamen und ihm die Chefposition antrugen, traf ihn das völlig unvorbereitet. Und als sei es gerade eben erst passiert, holt der Herr vis-à-vis von mir tief Luft und sagt dann etwas sehr Menschliches: »Ich habe es plötzlich schlicht mit der Angst zu tun bekommen. Dieses Amt nach dem großen Klemperer zu übernehmen, dessen Vorgänger Karajan gewesen war, hielt ich für ein ungeheures Wagnis. Ich bat mir einige Monate Bedenkzeit aus. Aber schließlich drängte das Orchester auf Entscheidung. Ich sprang sozusagen über meinen eigenen Schatten und unterschrieb den Vertrag.« Daß er sich in stillen Stunden häufig gefragt hat, ob der Entschluß richtig war, beantwortete er sich schließlich selbst: Er hatte es alleine geschafft, niemand hatte ihn auf diesen Posten geschoben. Jetzt wieder ganz in seinem Element, formuliert er sehr bestimmt: »Für mich gab es dann nur noch eines: Arbeit, Arbeit und wieder Arbeit!« Und wie ein Vater, der von seinen wohlgeratenen Kindern spricht, lobt er seine ›Londoner‹ als das beste englische Orchester des Jahres 1981, rühmt die ausgezeichnete Zusammenarbeit und die hervorragende künstlerische Disziplin der Musiker.

Als ich plötzlich Probleme mit meinem Tonband habe und darauf gefaßt bin, daß Muti die Sitzung nun womöglich ungeduldig abbricht, beruhigt er mich, meint, ich sollte nicht nervös werden. Er zückt den Kugelschreiber und signiert mir inzwischen ein paar Schallplattenhüllen.

Als ich wieder startbereit bin, kommt er auf die deutschen Kritiken zu sprechen, die er vor Jahren nicht so recht interpretieren konnte. Inzwischen, so meint er lächelnd, wisse er, worum es ginge, wenn sie ihn, den Neapolitaner, als preußischen Pedanten bezeichnen. Wiederholt, daß er sehr strikt gegen sich selbst, und wenn es denn sein müsse, auch gegen andere sei. Als ich schüchtern auf meine soeben fabrizierte Panne verweise, demonstriert er Charme pur und macht mich leicht verlegen. Wir lachen beide sehr herzlich, als er fast väterlich meint: »Sie sind ja kein Musiker, also nicht gefährdet!«

Dann fährt er fort: »Übrigens, es hat mich nie interessiert, wie berühmt die Orchester waren, mit denen ich zu tun hatte. Schon zu Beginn meiner Laufbahn habe ich mir diesen Grundsatz zu eigen gemacht, nach der Devise: Wenn ich das Gefühl hatte, durchgreifen zu müssen, dann habe ich das immer getan, ohne Scheu auf Reaktionen.« Und dann höre ich zum ersten Mal seinen auch heute noch gültigen Grundsatz: »Wenn es bei den Proben oder in der Aufführung nicht klappt, dann gibt es für mich keinen Grund zum Lächeln.« Kurze Pause. Dann sein charmantes Eingeständnis: »Ich lächle nämlich durchaus gerne. Und nicht nur für die Kameras, wie soeben, sondern auch ganz freiwillig.« Und flugs, ohne meine nächste Frage abzuwarten, verwandelt sich der gestrenge Musikerdompteur in einen Privatmann, der aus dem Nähkästchen plaudert. Erleichtert registriere ich, daß einer, der weltweite Erfolge hat, auch nur ein ganz normaler Mensch ist. Und weil ich es mit einem waschechten Italiener zu tun habe, kommen wir von der hohen Kunst unmittelbar auf die Spaghetti. Das Thema gefällt ihm.

»Ich könnte ohne Spaghetti nicht existieren, geschweige dirigieren«, beginnt Muti unser Gespräch über Kulinarisches und Kalorien. »Vor jeder Aufführung brauche ich eine Riesenportion Pasta mit Sugo, egal, wo ich auch gerade bin.« Als ich zweifelnd anmerke, daß mir das zwar sehr italienisch, aber auch ziemlich spanisch vorkommt, weil er bei aller Spaghettileidenschaft schlank und rank sei, hat Muti rasch eine Erklärung parat: »Daß Spaghetti dick machen, ist eine Legende. Richtig zubereitet, gibt es nie Probleme.«

Daß der Maestro diesbezüglich allerdings keine allzu

glückliche Hand hat, erfahre ich unmittelbar darauf. »Die teuersten und schlechtesten Spaghetti habe ich neulich in meinem Apartment in Philadelphia gegessen. Ich hatte mich selbst an den Herd gestellt, ohne jedoch eine Ahnung zu haben, wie man die Soße macht, geschweige denn, wie lange die Dinger brauchen, bis sie al dente sind. Kurz: ich telefonierte mehrmals mit meiner Frau und holte mir über Tausende von Kilometern Distanz Kochanweisungen. Schließlich war ich Hunderte von Dollar fürs Telefonieren los, auf dem Teller lag Ungenießbares, und ich ging hungrig zu Bett.«

Meine bescheidene Zwischenfrage, ob wir wegen des hereinbrechenden Abends nicht langsam ans Schlußmachen denken sollten – ich dachte unter anderem an Mutis Spaghettigelüste –, wehrt er mit einer Handbewegung ab. Ich habe den Eindruck, er will die Gelegenheit nutzen und noch einiges zurechtrücken. Da gibt es die ständige Frage nach Herbert von Karajan und dem, was nach ihm sein würde. Muti verhält sich wieder sehr distanziert, als die Rede während unseres Gesprächs zum zweitenmal darauf kommt, meint, das Thema könne er nur realistisch beantworten. Im Jahre '81 von einer Nachfolge zu sprechen, halte er für absurd. Überhaupt mag er das Problem nicht so oberflächlich behandeln und könne nur allgemein dazu Stellung nehmen. Eines scheint für ihn festzustehen: Die Kombination Karajan und Berliner Philharmoniker sei schon jetzt eine der Musiklegenden dieses Jahrhunderts. Man könne nur wünschen, daß diese Zusammenarbeit noch viele Jahre anhielte. Dirigenten sei im allgemeinen ein langes Leben beschieden. So mache es keinen Sinn, über Nachfolge zu einem Zeitpunkt zu spekulieren, da die Liaison zwischen den Berliner Philharmonikern und Karajan eine so erfolgreiche sei.

Thema abgehakt? Scheint so. Muti kommt von sich aus auf andere Dirigenten zu sprechen, die gleichsam historische Musikinterpretationen geschaffen haben, meint, sie seien damit zu einem Teil der Musikgeschichte geworden. Einschränkend formuliert er es so: »Man kann durchaus ein großer Dirigent gewesen sein, aber wer sich musikhistorisch nicht verewigt hat, der ist vergessen, der hat praktisch nie gelebt. Vor Karajan haben Dirigenten wie Toscanini, Knappertsbusch, Furtwängler, Nikisch Zeichen gesetzt. Sie alle sind längst in die Musikgeschichte eingegangen.« Muti gesteht es ein: Er, wie andere junge Dirigenten, bezieht seine Interpretationsfähigkeit nicht zuletzt in hohem Maße von den Vorgenannten. Das dürfe allerdings nicht bedeuten, daß man sie bedingungslos imitiert. Da die berühmten Dirigenten einen schöpferischen Weg zum Klang, zu technischer Präzision, Perfektion und zu neuer künstlerischer Disziplin gefunden haben, folgen die Jungen, wenn sie klug sind, diesem Weg. Und wie mahnend erhebt er seinen Zeigefinger und bedeutet mir, daß das aber nicht heißen könne, deren Vorgaben zwanghaft zu übernehmen. Sich orientieren heißt für Muti nicht kopieren! Es sei egal, ob es sich dabei um den neuen Sound handelt, den beispielsweise Karajan kreiert hat, oder um Toscaninis Ausdrucksstärke. Für Muti sind es einfach diese besonderen Elemente, die ihm, der zur nachkommenden Generation zählt, Vorbild sind. Und so – damit es nicht verlorengehen soll – rückt er wieder ganz nah ans Tonband heran und bekräftigt, daß er keine direkten Favoriten unter den Dirigenten habe.

Ich will, beeindruckt von seinen Ausführungen, den Redefluß des Maestro nicht unterbrechen. Es scheint sich eine journalistische Sternstunde abzuzeichnen. Muti wohnt in Ravenna, will an diesem Abend noch nach Hause fahren. Das hat er mir gleich zu Beginn unseres Gesprächs bedeutet. Aber von Aufbruchstimmung ist nichts zu spüren. Ein Thema greift ins andere, ich frage kurz, er antwortet lang. Mir ist längst klar, daß eine solche Situation nicht wiederkommen wird.

Muti scheint es auch nicht zu interessieren, wann und wo das bereits Gesagte und noch Folgende je gedruckt werden würde. Ich wechsle die Kassetten, er greift zu den Zigaretten, der Fotograf, mittlerweile zur totalen Untätigkeit verurteilt, versorgt sich und uns mit Mineralwasser. Daß wir schon zwei Stunden zusammensitzen, bezeichnet der Maestro auch für sich als reife

Leistung. Wir wollen uns zur Fortsetzung bald bei ihm
zuhause treffen. Das war so dahingesagt worden, und
ich nehme es nicht ernst. Daß ich ihn und die Familie
dann doch bald dort zweimal besuchen würde, kann
ich zu diesem Zeitpunkt nicht ahnen.

Muti ist wieder bei Toscanini angelangt, einem seiner
Lieblingsthemen: »Ich verehre die moralische Seite
seiner Musikinterpretation. Toscanini fühlte sich als
Diener der Musik, benutzte diese nicht für seine
Zwecke.«

Auch Muti sieht seine Rolle als Dirigent so. Er bezeichnet sich als Mann, der in der Musik keine Kompro-
misse kennt, der die akribische, textgetreue Wieder-
gabe der Partitur als Darstellung gleichsam geronne-
ner Zeit jeder polierten Schönheit im Breitwandformat
vorzieht. Und was heißt schon ein Werk zu perfektio-
nieren? Das bedeute nicht nur, schwierige Passagen so
fehlerfrei wie möglich, plastisch und transparent zu
spielen, Tempi, Dynamik und Lautstärke nicht zu vergessen, sondern auch die sorgfältige Ausarbeitung von
Linien und Farben. Präzision sei in diesem Sinne nicht
als Triumph der technischen Oberfläche, sondern des
kompositorischen Inhalts zu sehen. Und der Darbie-
tende, in diesem Fall der Dirigent, stelle die Brücke
zwischen Komponist und Publikum dar. Muti vehement: »Wenn die Dirigenten nicht daran glauben, was
der Komponist geschrieben hat, dann vermögen sie
dem Zuhörer keine Imagination zu vermitteln. Doch,

basierend auf den Leistungen der großen Dirigenten der Vergangenheit, ist das immer wieder möglich.«

Wenn Muti eine Beethoven-Symphonie dirigiert, beteuert er, so ist er nicht davon überzeugt, daß das von Beethoven auch so gemeint war. »Ich kann nur hoffen, seinem Werk gerecht zu werden«, sagt er leise, »durch meine Interpretation, meine dirigentischen Fähigkeiten, nicht zuletzt auch mit meinen Fehlern. Dazu gehört auch, den Wahrheitsgehalt zu erkennen, der sich in der Partitur findet. Falsch oder richtig, steht nicht zur Diskussion. Wichtig ist für mich nur, daß eine Beethoven-Symphonie nicht zu meinem persönlichen Erfolgserlebnis entartet.« Das soll aber keineswegs bedeuten, wie er treuherzig zugibt, daß er ein Heiliger sei, sondern durchaus gerne seine Siege feiere.

Ich habe dem Maestro aufmerksam zugehört, keine Zwischenfragen gestellt. Offensichtlich hat er den Eindruck, daß er mir jetzt etwas Allgemeines bieten sollte. Wir kommen auf seine Ausbildung zu sprechen.

Riccardo Muti hat ursprünglich Piano studiert, als zweites Instrument die Geige dazugenommen. Bedauernd meint er, daß er sich heute dem Klavierspiel aus Zeitgründen kaum mehr widmen könne. Damals war das Klavier der absolute Drehpunkt seines Lebens. Und weil man bekanntlich nur einem Herrn dienen kann, stellte er das Geigenstudium zugunsten des Pianos schon sehr bald mehr und mehr zurück.

Wie weit verbreitet nachzulesen ist, begann seine Fixierung auf die Musik anläßlich des Weihnachtsfestes 1948. Der damals Siebenjährige hatte sich ein besonders schönes Spielzeug gewünscht. Was fand er auf dem Gabentisch? Eine Geige. Ebenso wie seine Brüder sollte Muti eine musikalische Ausbildung durchlaufen. Seinen Eltern galt das als unumstößliches Credo. Die normale Existenz eines Arztes, Architekten oder Advokaten – ein solcher Beruf schien ursprünglich auch für ihn vorgezeichnet – konnte ihrer Meinung nach nur durch eine zusätzliche profunde musikalische Schulung gesichert sein. Vor allem in den süditalienischen Familien wird so gedacht. Und Muti entstammt einer solchen. Ganz ohne Bedauern erzählt er mir jetzt, daß Klavier- und Geigenstudium von dem Moment an endgültig in den Hintergrund traten, als er sich dem Dirigieren zuwandte – also noch während seiner Studienjahre auf dem Konservatorium in Neapel. Der Traum eines jeden jungen Studenten erfüllte sich für ihn beinahe wie im Film: Der Direktor des Konservatoriums, der seine dirigentischen Fähigkeiten erkannt hatte, forderte ihn eines Tages auf, sozusagen aus dem Stand, das Studentenorchester zu übernehmen. Zwei Bach-Konzerte sollte er dirigieren. Diese Chance traf Muti wie der sprichwörtliche Blitz aus heiterem Himmel. Hatte er doch nie ans Dirigieren gedacht, sondern nur an eine solide Klavierausbildung. Nun waren die Weichen gestellt.

Muti beteuert, daß er den Sprung ins kalte Wasser nur

wagen konnte, weil er sein Abitur gemacht hatte und neben dem Musikstudium an der Universität von Neapel die philosophische Fakultät besuchte. Sein Vater, Arzt von Beruf, hatte auf einem Studium der Philosophie und Literatur bestanden, für den Fall, daß es mit der »brotlosen Kunst« schiefgehen sollte. Daß Muti sich für dies Studium entschied, war von plausiblen Überlegungen getragen. Er wollte als zukünftiger professioneller Musiker in kulturellen und historischen Zusammenhängen denken können. Trotzdem plagten ihn die Zweifel. Er teilte das Schicksal aller jungen Menschen, die hin- und herschwanken und lange nicht sicher sind, welchen Beruf sie wirklich ergreifen sollen. »Noch am Tage vor dem entscheidenden Konzert hatte ich keine Ahnung, wohin mein Weg mich führen würde. Erst in der Sekunde, als ich das erste Mal vor dem Orchester stand und den Taktstock hob, ging bei mir der Vorhang hoch. Von da an gab es nur noch ein Ziel, und es war wie eine Droge: Ich wollte Dirigent werden!«

Ein flüchtiger Blick auf die Uhr. Muti spricht weiter, will offensichtlich noch einiges mehr zu diesem Thema sagen. »Ich war immerhin bereits siebzehn Jahre alt, als ich zum ersten Mal ein Orchester zu Gesicht bekam. Und das war dann auch nur ein reichlich drittklassiges. Gehört über Radio hatte ich natürlich schon eine Menge. Aber Fernsehen, mit dem die Kinder heutzutage sozusagen geboren werden, gab es nicht«, meint er, »und Schallplatten waren auch für unsereinen eine besondere Rarität. Man lebte damals eben bescheiden.«

Wie ein Orchester live aussieht, konnte Riccardo Muti sich also lange Zeit nur im Geiste vorstellen. Er greift wieder zur Zigarette und hält nicht zurück mit seiner Meinung über die heutigen Ausbildungsmethoden.

Er kommt auf seine eigene Ausbildung zu sprechen. Nach seinem ersten Dirigat begann er sofort Kompositionslehre zu studieren. Und wie er mit Nachdruck betont, »nach der alten Methode«. Das heißt für ihn: Jeder gute Dirigent muß Komposition, Orchestrierung, Kontrapunkt und Harmonielehre sozusagen wie im Schlaf beherrschen. Er bedauert, daß die heutigen jungen Dirigenten, seiner Erfahrung nach, das alles möglichst beiseite lassen und mit dem Taktschlagen beginnen. Muti demonstriert mir den Vorgang, klopft mit dem Handrücken, »eins, zwei, drei, vier«, auf die Tischplatte. Seiner Ansicht nach kommt es immer häufiger vor, daß diejenigen, die talentiert sind und eine musikalische Ader besitzen, zunächst zwar Erfolg haben, aber mangelnde Kultur und fehlende Kenntnis der musikalischen Zusammenhänge hindern sie daran, das voll zu nutzen, was ihnen die Natur mitgegeben hat. Daraus folgert er: Die meisten von ihnen sind, wie es im heutigen Sprachgebrauch heißt, nach ein paar Jahren schon wieder »weg vom Fenster«. Muti jetzt laut: »Glücklicherweise lassen sich die Orchester

heutzutage nicht mehr durch akrobatische Verrenkungen beeindrucken, sie bestehen auf profundem dirigiertechnischen Können, wollen etwas, das frisch, interpretatorisch neu und ohne Routine gebracht wird.«
Als Muti ansetzt, auf seinen jetzigen Tagesfahrplan zu kommen, fällt mir mit Schrecken mein eigener »Abendfahrplan« dieses Tages ein. Für 21 Uhr habe ich die Einladung zu einem Hauskonzert mit anschließendem Abendessen im Palazzo der Marchesi Frescobaldi in der Tasche. Ein Telefon, um mich dort vorsorglich zu entschuldigen, kann ich nirgendwo entdecken. Das Konzert ist dahin, denke ich nur, vielleicht schaffe ich noch das Dinner. Aber auch diesen Gedanken verwerfe ich schnell. Schließlich bin ich hier in Arbeitskluft, und dort erwartet man Abendgarderobe. Kurz entschlossen habe ich den Termin sausen lassen, denn die Unterhaltung mit Riccardo Muti ging erst gegen 21 Uhr zu Ende. Bei den Frescobaldis erfand ich am nächsten Morgen eine glaubhafte Entschuldigung: Schnupfen, Husten, Unpäßlichkeit etc. Die Begegnung fand ein Jahr später statt. Sie brachte mir unter anderem den bis heute andauernden freundschaftlichen Kontakt zur Marchesa Teresa Patrizi Montoro Dei Frescobaldi, einer in Rom lebenden Schwester des Florentiner Chefs des Hauses, die zufällig zu Gast war.
Ich verdränge das Thema Frescobaldi also und höre, daß Riccardo Muti morgens um neun seinen Arbeits-

tag beginnt und um Mitternacht beendet. Lachend meint er, es sei ein großes Glück, daß seine Frau Cristina jedes Verständnis für diese Anomalien habe. Cristina Muti hat gleichfalls Musik studiert, wollte Sängerin werden. Aber den Wunschberuf hat sie in dem Moment aufgegeben, als die beiden 1969 heirateten. Er dazu: »Sie gab mir den Vortritt, weil sich bei mir gewissermaßen schon Licht am Ende des Tunnels erkennen ließ.« Und mit melancholischem Blick, so als habe er damit eine nicht rückzahlbare Hypothek auf sich geladen, meint er, daß ihr der »Rücktritt« zu seinen Gunsten sicherlich nicht leichtgefallen sei. Aus seinem professionellen Munde klingt das sehr glaubhaft, wenn er zusätzlich meint, daß seine Frau als außerordentliche Begabung galt und gewiß ihren Weg gemacht hätte.

Muti erzählt jetzt von ihren drei Kindern, die sich schon früh an das etwas ungewöhnliche Familienleben gewöhnen mußten. Und wieder zitiert er die Gattin, der es zu danken sei, daß sie den ganzen Verein fest im Griff hat. Betont, daß es ausschließlich ihr Verdienst ist, wenn die Kinder im Vater nichts Besonderes sehen, sondern wirklich nur einen ganz normalen Vater. So hat die Mama ihnen sehr bald klargemacht, daß der Dirigentenberuf kein anderer ist als der eines Arztes, Rechtsanwalts oder Flugkapitäns. Alle tragen sie Verantwortung für Menschen.

Dankbar kommentiert er die Flexibilität seiner Frau,

die sich samt Sprößlingen und Kindermädchen so organisiert hat, daß man stets mobil ist. Auf gut italienisch heißt das, daß der Hausstand mehrmals im Jahr
in die Hotelsuiten von London, Paris, Wien, Salzburg
oder New York verlegt wird. Zum einen, damit die
Kinder nicht vergessen, daß sie einen Vater haben, und
vielleicht auch, so habe ich den Eindruck, damit der
Vater nicht auf dumme Gedanken kommt. Zum anderen, weil der vielbeschäftigte, hochsensible Muti, als
den ich ihn jetzt kennenlerne, ohne seine Familie gar
nicht sein könnte. Daß ihm das ständige Hotelleben
nicht gefällt, verstehe ich. So hat er sich oft lieber vor
Ort für ein gemütliches Haus entschlossen, wenn es
sich um längere Aufenthalte handelte. So geschehen in
London, wo die Kinder dann wochenlang während der
Schulferien ihr gewohntes Zuhause hatten. Aber immer wieder dringt es durch, daß Mutis ganze Liebe
Ravenna und den eigenen vier Wänden gehört. Trotz
übervollem Terminkalender für die nächste Zeit will er
möglichst viele zusammenhängende Tage und Wochen dort verbringen und ohne Verpflichtungen sein.
Ob sich das arrangieren läßt? Er zuckt mit den Schultern, spielt mit dem Feuerzeug, nuschelt nachdenklich
ein »So Gott will« und etwas von guten Vorsätzen.
Zweifel? Nein. Er ist nach kurzer Überlegung in gewohnter Konzentration präsent, erklärt, daß er allen
jenen Gerüchten energisch entgegentreten wird, die
ihn im Zusammenhang mit seiner beginnenden Tätig-

keit in Philadelphia als verlorenen Sohn Europas se-
hen. Im Gegenteil. Stolz ist er, ein Europäer zu sein,
dieser Maestro Riccardo Muti. Daran wird auch der
Ruf nach Amerika nichts ändern. Vier Monate des
Jahres will er in Philadelphia zubringen. In dieser Zeit
wird er in einem Apartment ganz in der Nähe der
Musikhalle wohnen. Und noch einmal knüpft er an das
Gesagte von vorher an, meint: »Vier Monate pro Jahr
Präsenz in USA dürften kaum ausreichen, um meinen
Seelenzustand zu verändern.«
Plötzlich steht Muti auf, übrigens das erste Mal seit
Stunden, und schiebt eine der Stehlampen hin und her.
Das Licht flackert bedenklich. Er empfiehlt zu beten,
daß es keinen Kurzschluß gibt, und bezeichnet sich in
diesem Zusammenhang lachend als totalen technischen Ignoranten. Aber es geht gut, die Elektrizität
hält. Also kann er gleich wieder in sein Metier und auf
sicheres Terrain zurückkehren mit dem Bekenntnis,
daß er glücklich sei, bei den Musikern in Philadelphia
eine Liebe auf Gegenseitigkeit zu spüren. Vielleicht
auch deswegen, weil von allen großen amerikanischen
Orchestern das von Philadelphia am europäischsten
geprägt sei. Dirigenten wie Stokowski und Ormandy
haben ihm ihren Klangstempel aufgedrückt. Ein weiterer Grund für die Sympathie: Die Musiker sind über-
wiegend europäischer Herkunft. Sie setzen sich zu
etwa dreißig Prozent aus Italienern zusammen, einer
Anzahl jüdischer Emigranten aus Polen und Rußland

und einem gewissen Anteil aus Deutschland. »Ich finde diese Kombination ausgezeichnet. Trotzdem sehe ich darin keinen Grund, mich zum Amerikaner stempeln zu lassen. Ich bin Europäer, und was noch schwerer wiegt, ich bin Süditaliener.«

Die mit dieser Herkunft verbundene spezifische Mentalität erklärt auch Mutis besondere Anhänglichkeit an das Zuhause. Er bezeichnet sich selbst als sehr emotional, als einen Menschen, der einen ruhenden Pol braucht. Und nur wer begreift, daß hinter dem Menschen und Dirigenten ein Sohn aus dem Mezzogiorno steckt, wird das zentrale Problem seines Denkens und den Grund seines Erfolges verstehen. »Mein Haus in Ravenna würde ich um keinen Preis der Welt aufgeben«, sagt er. »Auch wenn ich Hunderte Male den Ozean überfliegen muß, ich brauche gerade deshalb die Gewißheit, daß mein Bett in Ravenna steht.« Und jetzt sehr entschieden: »Wenn ich diese Sicherheit nicht hätte, wäre ich wahrscheinlich längst tot!« Noch einmal nimmt er die Kurve in Richtung des europäischen Gedankens: »In Europa stand die Wiege der Musik. Wer nie durch die Straßen Wiens oder Salzburgs geschlendert ist, das historische Pflaster getreten und die Atmosphäre dort geatmet hat, ist meiner Meinung nach nicht fähig, Schubert oder Mozart zu dirigieren.« Und so als müsse er mich davon überzeugen, rückt er noch ein paar Zentimeter näher ans Tonbandgerät heran, deklamiert förmlich: daß er, beim Anblick der Häusergiganten von New York, seine Zweifel habe, Verständnis und Gefühl für diese Musik zu bekommen.

Dann erinnert er sich an ein Jahre zurückliegendes Ereignis, als er zum ersten Mal »drüben« war und jene fantastischen Eliteschulen für Musik besuchte, die es dort gibt. Da standen die erlesensten Steinways im modernsten und formschönsten Ambiente – er habe sich damals im Spaß den Vergleich mit Cape Canaveral erlaubt. Auch von dem allgegenwärtigen Perfektionismus, den die junge amerikanische Nation auf die Beine gestellt hat, war er beeindruckt, aber neugierig auf diese chromblitzende Musikwelt war er nicht. Ganz im Gegenteil. Mit großer Dankbarkeit erinnerte er sich daran, daß es ihm vergönnt war, auf einem Konservatorium in Neapel studiert zu haben, wo schon Cimarosa und Païsiello gelernt hatten. Und zum zweitenmal während dieses Gesprächs springt Muti temperamentvoll auf: »Nicht die allerschönste, raffinierteste High-Tech-Konstruktion der Welt könnte mir diese Erfahrung ersetzen.«

Als er gleich darauf wieder sitzt, seinen schicken Pullover zurechtzieht, mit dem Hemdkragen spielt und bedauert, daß es im Raum allmählich kühl wird – denn längst ist die Heizung aus und auch die Sonne draußen untergegangen –, macht er einen großen Gedankensprung zu Carl Orff. *Carmina burana*, so sagt er, sei ein Werk, das bei ihm einen besonderen Platz einnimmt.

Vielleicht, weil hier die sprachliche Symbiose latei-
nisch/mittelhochdeutsch und der jugendliche Elan,
mit dem Fortuna, Natur und Daseinsfreude gepriesen
werden, spontan zünden und universal verstanden
werden. Und als sei ich eine Musikagentin, an die er
sich gut verkaufen will, versichert er mir, daß er keiner-
lei Sprachschwierigkeiten mit deutschen Sängern und
deutschen Orchestern habe. Egal, ob es sich beispielsweise um die Berliner oder Münchner Philharmoniker
handelt. Heutzutage sprechen alle Musiker und Sänger englisch, ergo gibt es auch für Muti als Italiener
keine Sprachhürde. Einschränkend meint er allerdings, daß es für ihn schwierig sei, deutsche Opern zu
dirigieren. Das habe er immer wieder gesagt und stehe
dazu auch heute noch: Wenn er eine Oper dirigiert,
dann richtet er sein besonderes Augenmerk auf den
Text. Denn Musik und Worte sind bei Werken des
Musiktheaters eine untrennbare Einheit. Das Begrei-
fen jedes einzelnen Wortes und des gesamten Textes
im Zusammenhang mit der Komposition sind von
größter Bedeutung. Nur so kann man seine Vorstellung
an die Sänger weitergeben. Bis heute hat er seinen
Grundsatz nicht revidiert: »Um eine deutsche Oper in
Deutschland zu dirigieren, muß ich den Text ganz
verstehen. Solange das nicht der Fall ist, ist das für
mich kein Thema. Schon vor Jahren hat man mir in
Bayreuth *Lohengrin* und *Parsifal* angeboten. Beide
Einladungen habe ich aus für mich stichhaltigen

Don Pasquale	Don Pasquale, ein alter Junggeselle	Fernando Corena
(in italienischer Sprache)	Doktor Malatesta, ein Arzt	Rolando Panerai
	Ernesto, Don Pasquales Neffe	Pietro Bottazzo
Dramma buffo in drei Akten	Norina, eine junge Witwe	Emilia Ravaglia
von Michele Accursi		
Musik von Gaetano Donizetti	Ein Notar	Augusto Frati

Dirigent: Riccardo Muti
Inszenierung und Bühnenbild: Ladislav Štros
Kostüme: Marcel Pokorný
Choreinstudierung: Walter Hagen-Groll

Bediente und Zofen

Die Handlung spielt in Rom

Orchester: Wiener Philharmoniker
Chor der Wiener Staatsoper

Pause nach dem 2. Akt

Regieassistenz: Anton Müller

Technische Gesamtleitung: Hermann Andre
Einrichtung und Beleuchtung: Günther Kilgus
Die Ausstattung wurde in den Werkstätten der Salzburger Festspiele hergestellt
Dekorationen: Imre Vincze / Kostüme: Magda Gstrein

Kleines Festspielhaus

Besetzungszettel »Don Pasquale« von Gaetano Donizetti bei den Salzburger Festspielen, Premiere am 18. August 1971 im Kleinen Festspielhaus

Gründen abgesagt. Einmal waren es damals Zeitprobleme, zum anderen aber, und das gab den Ausschlag, wollte ich weder *Lohengrin* noch *Parsifal* zum erstenmal in meinem Leben ausgerechnet im ›Heiligtum‹ dirigieren. Das schien mir unter keinen Umständen vertretbar.« Voraussetzung wäre gewesen, daß er schon irgendwo anders mit diesen Werken seine Erfahrungen hätte sammeln können. Und so hat er auch nie auf die Freunde gehört, die ihm in puncto Wagner stets eine zu sensible Einstellung vorgeworfen haben. Sie hielten ihm Toscanini als bestes Beispiel vor Augen, der die fantastischsten *Meistersinger-* und *Tristan*-Aufführungen geleitet und kein Wort Deutsch gesprochen hatte. Muti dazu nur: »Das war Toscanini!«

Als müsse er sich für seinen Standpunkt entschuldigen, erklärt er mir, daß er glaubt, nur bei denen Verständnis finden zu können, die seine Proben erleben. Da werde deutlich, was er unter Werkauffassung verstehe und was man ihm oft als besondere Akribie zur Last lege. Um seine Haltung an einem Beispiel zu demonstrieren, versichert er mir, daß er etwa bei einer Verdioper, die er als Zuhörer erlebt, sofort feststellen kann, ob der Dirigent – und natürlich auch der Regisseur – die italienische Sprache beherrscht oder nicht. Muti erkennt das daran, wie sprachliche und musikalische Details herausgearbeitet sind. Wie so etwas abläuft – oder auch nicht abläuft –, habe er 1971 während der Proben zu seiner ersten Opernproduktion bei den Salzburger Festspielen mit dem tschechischen Regisseur Ladislav Štros erlebt. Er war mit Donizettis *Don Pasquale* angetreten, der italienischen Sprache aber nicht mächtig und hatte in seinem Klavierauszug nur die tschechische Übersetzung stehen. Mutis Meinung dazu: »Es ist eben nicht dasselbe, ob man mit dem Wortsinn, das heißt mit der Sprache, verwachsen ist oder das ganze über den Kopf erarbeiten muß. Was mich betrifft, so sehe ich nur eines vor mir: den langen Marsch durch die Musik.«

Daß das ein Weg ohne Ende ist, steht für ihn gleichfalls fest: »Mit der Position in Philadelphia hat sich für mich eine Situation ergeben, von der die meisten nur träumen. Ich halte eine wertvolle Stradivari in Händen. Mit diesem kostbaren Instrument die Musik erklingen zu lassen, ist das einzige, woran ich jetzt denke. Nicht an die Karriere, die längst zu meinem Leben gehört. Wichtig ist nur, was ich mit der Musik für den Rest dieses Lebens mache, präziser, wie weit ich in dieses Geheimnis eintauchen kann.«

Dabei erinnert er sich an eine Bemerkung, die Vittorio Gui, der 1933 das Maggio Musicale Florenz mitbegründete, in einem Gespräch mit ihm kurz vor seinem Tode fallen ließ. Gui war knapp neunzig, es war das letzte Treffen der beiden Musiker. Was der greise Maestro an den jungen Muti weitergab, hat diesen tief beeindruckt und blieb ihm für immer haften. Vittorio Gui meinte: »Was ist es doch für ein Elend, daß man sterben muß, und auch ich dem Tode näher bin als dem Leben; denn erst jetzt weiß ich endlich, wie man ein Orchester dirigiert.« Muti ist sich sicher, daß Gui dabei natürlich nicht an das Taktschlagen an sich gedacht hat, sondern nur daran, wie er aus den Musikern das Beste herausholen könne. Wieder kommt er darauf zurück, meint, das könne man nicht lernen, »das hat man, oder man hat es nicht«.

Zwei seiner Lieblingsbeispiele fallen ihm dazu prompt ein: Karajan und Toscanini. Der erste, weil er mit

Musik und Orchester längst zur Einheit geworden ist. Egal, ob er Mahler oder Strauss dirigiert oder was immer, es ist unüberhörbar, daß hier totale Übereinstimmung besteht. Der andere aus dem gleichen Grunde. Auch Toscanini, die Musik und die Musiker waren für Muti ein Ganzes. Ich nehme es ihm ab, als er jetzt sagt: »Ich denke nur an die Musik, wenn ich vor ein Orchester trete. Diese meine Einstellung ist heute noch intensiver als vor etwa zehn Jahren. Ich denke in anderen Dimensionen. Nicht zuletzt, weil wir alle Menschen sind und sterblich.«

Wohin läuft unser Gespräch? Ich richte mich innerlich auf eine lange Nacht ein, bemerkt doch der Maestro, daß ihn das Thema Musik immer unwiderruflich festhalte. Er kommt auf seine Favoriten unter den Komponisten zu sprechen. Das sind die Italiener. Muti: »Aber in gleichem Maße die Deutschen, denn ihnen haben wir praktisch das gesamte symphonische Repertoire zu danken. Ich bin kein einseitiger Spezialist, was die Interpretation betrifft. Mir liegen sie alle am Herzen, angefangen bei den Barockkomponisten bis hin zu den Zeitgenossen. Und ich meine, das muß auch so sein.«

Der Maestro sieht seine Position als musikalischer Direktor in Philadelphia als besondere Verpflichtung, bis zu einem gewissen Grade auch als Musikerzieher. »Das ergibt sich zwangsläufig durch die Tatsache, daß ich vier Monate lang immer das gleiche Publikum vor mir habe. Da kann man nicht nur dirigieren, was einem selbst gefällt, sondern muß auch die Wünsche seiner Zuhörer berücksichtigen.« Im Klartext heißt das: Auch wenn ihm dieser oder jener Komponist mit seiner Musik nicht liegt, so führt er ihn aus didaktischen Gründen auf; nicht zuletzt, weil er musikgeschichtlich seinen Stellenwert hat.

Natürlich denkt ein Mann wie Muti in diesem Zusammenhang auch daran, ob er mit solchen Maßnahmen gut ankommt und Erfolg hat. »Ich wäre ein Lügner«, meint er lachend, »würde ich behaupten, daß mir Erfolg und Applaus egal sind. Jeder Mensch braucht das in gewissen Dosierungen. Wenn man ans Pult tritt und wird vom Publikum beklatscht, fühlt man sich bestätigt und automatisch noch mehr in die Verantwortung genommen.« Er findet in diesem Zusammenhang das Salzburger und auch das Berliner Publikum fantastisch, bezeichnet diesen Eindruck aber als seine subjektive Meinung.

Objektiv habe er immer das Gefühl, daß das Publikum auch des Dirigenten wegen erscheint. Und wenn dieser dann nicht das bietet, was erwartet wird, beschleicht ihn die Sorge, es enttäuscht zu haben. Sollte der Schlußapplaus dann geringer ausfallen als der Erwartungsapplaus, könne ihm das ganz schön zusetzen. Natürlich hat jeder Dirigent unter dem Publikum seine Freunde, heute nennt man das Fans. Und das gibt Mut. Was ihn betrifft, so ist er am liebsten ein absolut privat orientierter Mensch. Kein Mann für gesellschaftliche

Umtriebe oder Ovationsschlachten, so wie sie die Amerikaner gerne inszenieren. Und so, als wolle er mir seine Einstellung gleich in praxi demonstrieren, springt er spontan wieder auf, geht ein paar hastige Schritte hin und her und meint: »Ich renne immer am liebsten auf und davon, wenn so etwas stattfindet. Auf keinen Fall mag ich mich wie ein Showstar herumreichen lassen.«

Und wieder folgt eine Geschichte von Toscanini. Man weiß von ihm, daß er nach einem Konzert nie ein offizielles Dinner oder einen Empfang besuchte, sondern schnurstracks nachhause ging. Dort wartete seine Frau auf ihn. Während sie den Risotto zubereitete, den er leidenschaftlich gerne aß, ging er noch einmal die Partitur durch, machte sich Gedanken, was in der Aufführung falsch gelaufen war, ob er oder das Orchester Fehler gemacht hatten.

Muti macht das nicht. Er ist nach jedem Dirigat einfach hundemüde. Wenn der letzte Ton nach einem Konzert verklungen ist, das Publikum noch immer applaudiert, dann vollzieht sich bei ihm stets der gleiche Vorgang: Er läßt das Abgelaufene an sich vorüberziehen und ist eigentlich nie zufrieden. Er wiederholt es noch einmal, sagt laut: »Nie! Denn eine hundertprozentige Aufführung ist im Grunde nicht zu schaffen.« Muti schaut plötzlich weltentrückt an mir vorbei irgendwo ins Leere, fährt dann fort: »Das sind immer Augenblicke, die unglücklich machen. Und während man in das noch applaudierende Publikum hineinlächelt, durchlebt man Gefühle innerer Tortur. Im Kopf bewegt man die Dinge, die man vermeintlich falsch gemacht hat. Ich trage diese Last eigentlich immer bis nach Hause.« Jetzt wieder von dieser Welt, schaut er mich an: »Aber es gibt natürlich auch besonders glückliche Momente, in denen man für eine kurze Weile das Gefühl hat, etwas Außergewöhnliches geleistet zu haben. Dieser Zustand entschädigt einen dann für vieles, von dem man glaubt, daß es nicht gut genug gelaufen ist.«

Muti erzählt mir von einer Aufführung 1979, als er mit dem Londoner Orchester und der britischen Mezzosopranistin Janet Baker als Solistin Berlioz dirigierte. Er bezeichnet die damalige Aufführung als herausragendes Ereignis, das sich bis auf den Tag in seiner Erinnerung als unvergeßliches Highlight erhalten hat. Er meint, daß das jene Höhepunkte im Leben seien, die man nie vergißt. Aber wie viele solcher Momente gibt es? In zehn Jahren vielleicht drei.

Solche Erlebnisse teilt Muti mit seiner Frau, er hebt das sehr bewußt hervor. Sie ist der Mensch, der ihn am allerbesten kennt. Sie ist nicht nur selbst Musikerin, sondern auch ehrliche Kritikerin. Sachlich vertieft er es: »Da sie die Möglichkeit hat, mich mit derselben Symphonie mit verschiedenen Orchestern zu erleben, hört sie natürlich alle Abweichungen heraus. Und wenn die Ergebnisse nicht gleich gut sind, ist sie die erste, die warnend den Finger hebt. Meine Frau ist sehr

direkt in ihrem Urteil, und ich verlasse mich darauf.«
Riccardo Muti gehört nicht zu den Dirigenten, die bei
den Musikern herumfragen, ob sie gut waren oder
schlecht. Er weiß selbst sehr genau, wo seine Grenzen
liegen. Was die Zukunft betrifft, will er keine Progno-
sen wagen. Nur soviel scheint sicher, meint er humorig:
»Meine Frau ist mein bester Zuhörer. Ich hoffe, daß sie
nicht eines Tages genug davon hat.« Er erwähnt beiläufig, daß sie zwölf Jahre verheiratet sind.

Auf dieses Stichwort hin frage ich höflichkeitshalber
nach, ob wir die Sitzung nun nicht doch allmählich
abbrechen sollten, weil die Gattin womöglich auf ihn
wartet. Muti winkt beruhigend ab, checkt die Uhrzeit,
fragt ebenso höflich zurück, ob ich noch etwas hören
will. Natürlich will ich. Wir einigen uns noch auf eine
letzte Fünfundvierzigminutenkassette, denn dann ist
mein Vorrat ohnehin erschöpft.

Muti, jetzt ganz entspannt, wiederholt, daß er sich,
wenn nicht gerade die Musik im Spiel ist, zuhause am
glücklichsten fühlt. Ravenna ist sein absolutes Refugium. Schwärmerisch meint er: »Diese alte historische
Stadt hat für mich viel Faszinierendes. Von unserem
Haus aus kann man zu abendlicher Stunde die Schritte
heimeilender Menschen hören, anders als in New York
– da wird man bekanntlich vom Autolärm in den Schlaf
geschickt. Wenn ich bis Mitternacht in meinem Studio
arbeite, höre ich von irgendwoher die Stimmen von
Nachtbummlern. Das ist heutzutage etwas ungemein

Menschliches. In den Großstädten ist einem der Sinn dafür total abhanden gekommen.«

Solche Kleinigkeiten erscheinen dem Maestro außerordentlich wichtig, sie erinnern ihn immer wieder daran, daß diese Dinge das wahre Leben ausmachen. Das andere, nach außen orientierte Leben, das er berufsbedingt führt, hält er gewissermaßen für unrealistisch. So setzt sich auch sein privater Freundeskreis aus Leuten zusammen, die ähnlich denken wie er und seine Frau. Professionelle Musiker gehören nicht dazu, nur Menschen, die Musik lieben. Vor allem die italienische Oper. Immerhin, so meint Muti, habe man ja in Italien diesbezüglich eine lange Tradition anzubieten. Anläßlich dieser Gesprächsrunden wird natürlich auch über seine Schallplatten diskutiert, aber keineswegs etwa fanatisch, sondern vielmehr kritischkompetent und oft sehr temperamentvoll.

Als Muti erklärt, daß er zuhause ganz Italiener sei, glaube ich ihm das aufs Wort. Aber auch in Philadelphia kann und will er seine Herkunft nicht verleugnen. So ist er beispielsweise, wie schon ausführlich angesprochen, ohne Spaghetti angeblich nur die Hälfte wert. Er präzisiert noch einmal: »Ich brauche sie mindestens dreimal in der Woche auf dem Teller.«

Zum Glück besteht nirgendwo auf der Welt Mangel an italienischen Restaurants. Und auch in Philadelphia muß der Maestro nicht darben. Geradezu glücklich berichtet er mir von einem kleinen Ristorante, wo er seinen Appetit nach Herzenslust stillen kann. Denn, und das soll, wie auch schon gehört, kein Witz sein: eine Woche ohne das italienische Nationalgericht, und der Orchesterchef fühlt sich sterbenskrank. Viel schlimmer noch: ohne Spaghetti fiele ihm glatt der Taktstock aus der Hand. Und ganz ernsthaft setzt er mir jetzt auseinander, daß es sich hier um ein physisches Problem handle, das er am eigenen Leibe erfahren hat. Daß Spaghetti für die italienische Nation und auch für den elitären Maestro das mindestens Zweitwichtigste auf der Welt sind, weil sie eine ähnliche Funktion haben wie die Muttermilch für unsereinen, ist eine der Lektionen, die ich von ihm lerne. Er sagt: »Wir werden damit aufgezogen und können sie daher zeitlebens nicht entbehren.« Daß mir inzwischen der Magen knurrt, ist kein Wunder.

Ich setze voraus, daß Herr Muti zu Mittag seinen Pastabedarf gedeckt hat. Er kann nicht ahnen, daß ich seit dem bekannt spärlichen italienischen Frühstück nichts mehr gegessen habe. Als er das Spaghettithema zum zweitenmal während dieses Gesprächs aufs Tapet bringt, greife ich verzweifelt zur letzten Wasserflasche und spüle meinen bedrohlich gesteigerten Appetit hinunter. Muti ist inzwischen in New York angelangt und schwärmt von »Alfredo«, einer jener Trattorien, wie man sie überall auf der Welt findet, zwischen Central Park West und Carnegie Hall. Mit dem Besitzer hat er sein besonderes Arrangement: Wenn Alfredo den Mae-

1 Strahlend auf Erfolgskurs: Riccardo Muti Ende der siebziger Jahre

2 Frühe Zusammenarbeit mit dem weltberühmten Pianisten Svjatoslav Richter in Florenz

3 Voller Konzentration: Der junge Maestro probt Vincenzo Bellinis »Norma« an der Wiener Staatsoper, 1977 (oben rechts ▷)

4 Sein Debüt bei den Salzburger Festspielen 1971: Szene aus »Don Pasquale« von Gaetano Donizetti im Kleinen Festspielhaus mit Fernando Corena (Don Pasquale) und Emilia Ravaglia (Norina)

5–7 Bayerische Staatsoper 1979: Umjubelte Premiere von Giuseppe Verdis »Aida« im Münchner Nationaltheater mit Placido Domingo als Radames (links), Riccardo Muti bei einer Probe (oben) und, in einer Szene des zweiten Aktes, (v. l. n. r.) Anna Tomowa-Sintow als Aida, Siegmund Nimsgern als Amonasro, Placido Domingo als Radames und Brigitte Fassbaender als Amneris

stro kommen sieht, verschwindet er blitzartig in der Küche und ordert einen großen Teller von dessen Leibspeise. Er weiß nur zu gut, daß sein berühmter Gast sonst ohne Energie saft- und kraftlos herumhängen würde.

Ich traue meinen Ohren nicht, als Muti jetzt auch noch ein letztes »Geheimnis« preisgibt: Die diversen Zutaten, mit denen die Spaghetti in Amerika oder auch in Deutschland »verunstaltet« werden – sie sind die wahren Dickmacher. Basta! Ich widerspreche nicht.

Muti beendet seinen Exkurs über seine stets in der Katastrophe endenden Kochversuche mit der Bemerkung: »Für das viele Geld, das ich deswegen fürs Telefonieren mit meiner Frau in Ravenna ausgegeben habe, so meinten meine lieben Freunde später, hätte ich mir leicht einen Privatjet leisten können.«

Die Anspielung auf das Hobby Karajans läßt Muti kalt. Sein Jet ist das Fahrrad. Stolz erzählt er mir von seinem Stahlroß, das noch echte Handwerksarbeit ist. Der Meister, in dessen Werkstatt es entstand, verkaufte es ihm als sein letztes handgefertigtes Exemplar. »Im Sommer radle ich alleine oder mit der ganzen Familie ins Grüne. Wir genießen dann die herrlichen Pinienwälder am Meer in Marina di Ravenna.«

Das Fahrrad ist das eine Hobby von Riccardo Muti. Die schönen Künste sind das andere. Wann immer er Zeit hat, bummelt er durch die Museen, egal, wo er sich gerade in der Welt aufhält. Aktuell und aus besonde-

rem Anlaß erinnert er sich an die Berliner Gemäldega-
lerie Dahlem, die er schon häufig besucht hat. »Dort
haben sie eine ganz erlesene Auswahl italienischer
Meisterwerke. Ich habe da speziell immer mein aufre-
gendes Rendezvous mit einer Botticelli-Madonna.
Wenn ich genügend Zeit hätte, könnte ich stundenlang
vor dem Gemälde verharren.« Und fast wehmütig
meint er, daß es am schönsten wäre, wenn das Bild in
Italien hinge, nicht so weit weg für ihn.
Daß der Maestro aus seinem Herzen auch im Berliner
Museum keine Mördergrube gemacht hat, erzählt er
schmunzelnd. »Ich muß bei einem der Besuche dort
mit meiner Frau ziemlich laut über das Gemälde gesprochen haben. Plötzlich stand jedenfalls ein Herr
neben uns, sprach mich auf italienisch mit deutschem
Akzent an und belehrte mich zuvorkommend, daß
dieses Gemälde, ›Maria mit dem Kind und singenden
Engeln‹, schon seit ewigen Zeiten hier hänge. Er fügte
noch an, daß es ihn sehr freuen würde, wenn uns auch
die Bilder von Tizian im angrenzenden Saal gefielen.
Dann schloß er mit der Bemerkung: ›Bedaure, Maestro, diesen Botticelli rücken wir nämlich auf keinen
Fall heraus. Nicht einmal für Sie!‹« Muti war die
Angelegenheit ziemlich unangenehm. Aber der stolze
Kunsthüter konnte nicht wissen, daß ausgerechnet
diese Madonna eine besondere Bedeutung für den
Maestro hat.
Riccardo Muti kennt das Gemälde seit seiner frühen

Jugend, hat es immer bewundert. Es gehörte damals zu
den Standardabbildungen in italienischen Schulbü-
chern. Und mit leicht resignierendem Unterton in der
Stimme meint er, an mich gewandt: »Ich habe wirklich
nicht ahnen können, daß sich das Original ausgerechnet in Berlin befindet.« Ich hoffte ihn mit dem Hinweis
trösten zu können, daß in Italien ja gottlob kein Mangel
an weiteren schönen Botticellis bestehe, in den Florentiner Uffizien meines Wissens eine ähnliche Madonna
von Botticelli zu finden sei – und Berlin ist schließlich
auch nicht aus der Welt.

Von der bildenden Kunst zur Literatur ist es für Muti
nur ein kleiner Schritt. Für beides hat er gleich großes
Interesse. »Ich lese gerne«, meint er und zündet sich
wieder eine Zigarette an. Aber gleich schränkt er ein:
»Zeit bleibt da allerdings nur abends vor dem Ein-
schlafen.« In italienischer Übersetzung hat er zahlreiche deutsche Dichter und Denker kennengelernt, allen
voran Goethe und Thomas Mann. Aber manches wartet noch ungelesen in den Regalen.

Ein Schöngeist wie Riccardo Muti, der den ganzen Tag
mit Musik umgeht, kann, wie er glaubhaft darlegt, auf
den Ausgleich mit den anderen Kunstarten keinesfalls
verzichten. Und für ihn schließt sich der Kreis mit der
Feststellung, daß er die Kunst in der Totale braucht,
um der Musik gerecht werden zu können. Daß der
Musik überhaupt manchmal unrecht getan wird, will
er in diesem Zusammenhang nicht verhehlen. Er

denkt dabei an die Produkte, die als Schallplatten auf
den Markt kommen. Da gibt es gelegentlich deutliche
Unterschiede in der Qualität der Einspielungen; sie
klingen für ihn anders als im Tonstudio. Das ist auch
der Grund, warum er seine Schallplatten höchstens
einmal anhört. Im allgemeinen dann, wenn sie gerade
in den Handel kommen.

Zur Musikkonservierung im besonderen hat Muti
gleichfalls eine präzise Einstellung: »Die Aufnahme
entstand in irgendeinem Studio, an irgendeinem Tag,
bei diesem oder jenem Wetter – das war *ein* Moment in
meinem Leben. Sie ist also nicht eine Art Testament,
wie manche Leute das gerne sehen.« Und während die
Zigarette verglimmt, sagt er es noch einmal und so, als
sei es ohne größere Bedeutung: Er hört sich grundsätzlich nicht die Schallplatten seiner Kollegen an. Doch
auch hier gilt die Ausnahme von der Regel: Persönlichkeiten der vorangegangenen Generation wie Furtwängler, Knappertsbusch, Böhm, natürlich Toscanini,
sind davon ausgenommen. Wenn Muti eine Bruckner-
Symphonie einstudiert und einspielt, geht er besonders
gründlich vor, das heißt, er informiert sich genau über
die deutsche Tradition. Dabei vergißt er aber nie seinen
obersten Grundsatz: »Die beste Schallplatte ist und
bleibt für mich die Partitur.«

Der Präzisionsfanatiker Muti weiß natürlich, was unserem Gespräch die letzte Würze geben kann. Von sich
aus kommt er auf seine Kollegen am Dirigentenpult zu

sprechen. Erwähnt, daß er nicht nur von mir, sondern auch von anderen häufig auf Claudio Abbado angesprochen wird. Auch da ist Mutis Standpunkt eindeutig: Es gibt Leute, die ein Konkurrenzverhältnis zwischen beiden herbeikonstruieren wollen. Nach des Maestros Meinung ist das schon deswegen falsch, weil beide Dirigenten immer getrennte Wege gegangen sind. Abbado ist acht Jahre älter als Muti, hat das Konservatorium in Mailand zu einer Zeit verlassen und seine Karriere begonnen, als Muti dort anfing. Seitdem dirigieren beide ständig an verschiedenen Orten der Welt, begegnen sich fast nie. Ob sie befreundet seien, frage ich. Auch da läßt er keine Zweifel. Von Freundschaft kann man nach Mutis Definition nur reden, wenn die gegenseitige Beziehung kultiviert wird. Abbado und Muti kennen sich, wie man sich unter Kollegen eben kennt. Mehr nicht. Muti, mit einem hörbaren Durchseufzer: »Im Augenblick leite ich drei Orchester, Abbado ist Chef der Mailänder Scala.« Damit ist für ihn das Thema abgehakt.

Gerne erinnert er sich, wie er sagt, an Begegnungen mit Karl Böhm. Einmal trafen sie in Tokio zusammen – Muti übernahm von ihm hier die Wiener Philharmoniker für den zweiten Teil einer Tournee –, ein anderes Mal im Watergate Hotel in Washington. Der schon betagte Maestro kam damals auf den noch sehr jungen Muti zu und begrüßte ihn sehr herzlich – eine Geste, die den damaligen »Anfänger« besonders berührte.

Karajan, dafür bekannt, daß er den Kontakt zur jungen Generation sucht, kennt er besser. Und mit Emotion in der Stimme meint er: »Mein subjektiver Eindruck ist, daß unsere Generation – ich zähle da Barenboim, Levine, im weiteren Sinne Maazel oder Kleiber dazu – nicht mehr untereinander rivalisiert, so wie es früher gang und gäbe war. Das schließt nicht aus, daß jeder irgendwie an die Spitze will. Auch ich bin natürlich nicht frei von dieser Ambition.« Und gedämpfter geht es weiter mit dem Eingeständnis, daß er sehr wohl um seinen guten Ruf weiß. Doch der Beste zu sein, oder mindestens einer von Dreien, wie die Frage, von mir angeschnitten, im Raum schwebt: Muti schüttelt energisch den Kopf. »Vielleicht bin ich auf dem Wege dahin, vielleicht auch nicht. Das liegt in Gottes Hand.«

Vom lieben Gott kommen wir aufs Geld. Wen wundert's. Denn bei Positionen wie der des Maestro Muti geht es nicht nur um Gottes Lohn. Höchstgagen werden immer wieder diskutiert. Er beteuert, daß das Leben, so wie er es führen muß, zwar teuer sei, aber nur um des Geldes willen stehe er nicht am Pult. Sein Beruf sei wie jeder andere auch, erfordere den totalen Einsatz. »Ohne Fleiß kein Preis, ohne Leistung keine Kohle«, wage ich burschikos einzuwerfen, ernte Zustimmung und werde mit dem Hinweis beschieden, daß der Mensch bekanntlich nicht von Benefizveranstaltungen allein leben kann. Auch er nicht. »Klar«, sage ich und beende das Thema.

Muti, offensichtlich erleichtert, daß ich ihm keine Kontoauszüge abverlange, kommt noch einmal auf das Maggio Musicale von Florenz zurück. »Ich weiß nicht, warum es in Deutschland nicht so bekannt ist, wie ich immer wieder zu meinem Erstaunen und auch Bedauern höre. Immerhin ist es eines der berühmtesten Festivals der Welt. Alle großen Dirigenten haben hier gearbeitet, von Karajan über Furtwängler bis hin zu Bruno Walter. Hier wurden viele herausragende Produktionen gemacht, die für das Musiktheater von historischer Bedeutung sind.« – Mir kommt in den Sinn, was mir ein Kenner der Szene irgendwann einmal euphorisch berichtet hatte: Gustaf Gründgens hat hier 1950 Verdis *Macbeth* und Schumanns *Genoveva* inszeniert. – Muti wieder: »Ich arbeite, wie Sie wissen, zur Zeit an *Iphigénie en Tauride*.« 1978 und 1979 hatte er bereits Glucks *Orfeo ed Euridice* hier dirigiert. In der ersten, der italienischen Fassung, wie er mich belehrt, denn die Wiener Fassung ist in italienischer, die später entstandene Pariser Version in französischer Sprache geschrieben. Hier in Florenz, am Ort des Geschehens, verheimlicht der Maestro mir auch nicht seine beruflichen Probleme. Seine Verpflichtungen in London und Philadelphia lassen ihm nur noch wenig Freiraum für Florenz. Aber das Orchester will ihn halten, sozusagen um jeden Preis, wäre sogar zufrieden, wenn er nur einmal im Jahr hier erscheinen würde. »In diesen Tagen müssen wir diesen unhaltbaren Zustand ernsthaft diskutieren, denn ich bin der Meinung, daß eine Produktion im Jahr für einen Chefdirigenten einfach nicht ausreicht. Aber die Musiker sperren sich bisher noch gegen einen Wechsel.« Als ich einwerfe, daß in Deutschland jüngst schon von seinem baldigen Rücktritt in Florenz zu lesen war, widerspricht er mir. »So stimmt das natürlich nicht.« Daß es italienische Journalisten mit großem Pathos formulierten, es »Macht des Schicksals« nannten, wenn er Florenz den Abschied gäbe, bezeichnet Muti gleichfalls als verfrühten und übertriebenen Abgesang. Richtig sei lediglich, daß er über die Zukunft nachdenken müsse.

Er will Prioritäten setzen: An erster Position stehen unverrückbar für ihn seine Frau und die Kinder – die sicherlich schon lange mit dem Abendessen auf ihn warten, wie es mir mit einem Anflug von schlechtem Gewissen durch den Kopf schießt. Dann kommen seine Orchester. Und wenn er sie auch noch so sehr liebt, sie sind für ihn nicht mit der Familie gleichzusetzen. Muti addiert noch einmal laut: Drei Orchester sind es, die er zur Zeit als Chefdirigent betreut, nämlich Florenz, London, Philadelphia, dazu kommen Gastdirigate mit den Berliner und Wiener Philharmonikern. Macht unterm Strich fünf »schwerste Kaliber«. Da könnte einem schon die Luft wegbleiben. Und wenn man dann noch seine gelegentlichen »Ausflüge« zum Orchestre National de Paris und dem Concertgebouw Orchester Amsterdam dazurechnet, wird die Luft im-

mer dünner. Muti ist seinem eigenen Kenntnisstand
nach im Augenblick der einzige Dirigent, dem drei
Orchester unterstehen. Aber er räumt ein, daß Quanti-
tät nicht Qualität bedeuten muß. Auch andere Kolle-
gen sind reichlich beschäftigt, wie zum Beispiel Zubin
Mehta. Er arbeitet in New York und Tel Aviv. Seiji
Ozawa ist in Boston und in Japan gebunden, Solti in
Chicago und in London.

Vieles ist inzwischen angesprochen worden. Der Maestro blickt jetzt öfter zur Uhr, meint, daß er sich schon
lange nicht mehr über so viele verschiedene Themen
ausgelassen habe. Ob es noch etwas abschließend
Wichtiges gebe?

Offengestanden, mir schwirrt der Kopf.

Da ist er es, der das Stichwort gibt und sich noch für
eine weitere Viertelstunde festredet. Er kommt noch
einmal auf die Komponisten zurück, im besonderen
auf die deutschen. »Ich werde oft nach meiner Einstellung dazu gefragt und ebensooft, ob ich einen Favoriten habe. So einfach läßt sich die Frage nicht beantworten.« Er nennt aber dann doch drei Namen: Bach,
Mendelssohn, Beethoven. Letzteren bezeichnet er als
den König unter ihnen und bekennt dann: »Ich muß
allerdings zugeben, daß ich einen ganz besonderen
Sensus für Robert Schumann habe, kann diese besondere Affinität aber nicht einmal richtig definieren. Ich
finde seine Musik einfach tiefgründig. Das war auch
der Grund, warum ich sehr bald alle Schumann-Sym-

phonien auf Platte eingespielt habe.« Seiner Meinung nach repräsentiert der Romantiker Schumann in vollem Umfang das deutsche Wesen. Und wenn sich beim frühen Beethoven noch italienische Einflüsse finden, so fehlen sie bei Schumann völlig. Nirgends und nie hat er Anleihen genommen, er ist hundertprozentig deutsch.

»Wenn von Schumann die Rede ist, folgt todsicher das Kapitel Schubert«, fährt Muti fort. Auch ihn bewundert er sehr. Doch zwischen beiden gibt es seiner Ansicht nach einen fundamentalen Unterschied. Schubert wird von allen geliebt, Schumann von allen respektiert. Aber nicht jeder liebt ihn, besonders was sein Orchesterwerk betrifft, gehen die Meinungen stark auseinander. Seine Lieder sowie seine Klavier- und Kammermusik allerdings haben ein breites Publikum. Für Riccardo Muti aber ist alles großartig, was Robert Schumann komponiert hat. Er bemerkt, daß Schumann bekanntlich die italienischen Komponisten nicht schätzte. Er verstand Rossini nicht, hatte auch den anderen gegenüber viele Vorbehalte. Seine ganze Liebe galt Johannes Brahms. Schumann, der auch ein bedeutender Musikkritiker war, setzte beispielsweise deutliche Akzente hinsichtlich der Musik von Meyerbeer und Mendelssohn. Während er mit Mendelssohn sympathisierte, qualifizierte er Meyerbeer ab.

Als ich den Maestro noch einmal auf seine ihm oft nachgesagte Vorliebe für die italienischen Komponi-

sten anspreche, wiederholt er, daß er sie keineswegs
bevorzuge. »Ich dirigiere eine Oper von Gluck oder
Mozarts *Nozze di Figaro* mit der gleichen Überzeugung
wie Verdis *Otello*.« Und vehement setzt er nach: »Die
Frage nach Richard Wagner, die immer wieder auf-
taucht, möchte ich so beantworten: Ich studiere zur
Zeit den *Fliegenden Holländer* und möchte ihn gerne in
Florenz machen. Es wird eine große Erfahrung werden. Da der *Holländer* der italienischen Oper am nächsten kommt, will ich es probieren und damit einen
Wagner-Anfang für mich setzen.« Muti ergänzt, daß er
für die Besetzung ausschließlich deutsche Sänger en-
gagieren will und gibt zu, daß er sich mit der Realisie-
rung dieses Projekts in Widerspruch zu dem setzt, was
er über sein persönliches Verhältnis zum deutschen
Opernrepertoire gesagt hat. Aber er bleibt dabei, daß er
Bayreuther Boden erst betreten will, wenn er seine
Erfahrung mit Wagner vorher auf einer anderen
Bühne gemacht hat. Und mit leiser, zurückgenomme-
ner Stimme sagt er abschließend, daß er wegen Wagner und der mit ihm verknüpften Sprachbarriere in
tiefem Konflikt stecke. Er sei schließlich ein absoluter
Bewunderer Wagnerscher Musik. Zurück zu den Tex-
ten: Was für die deutsche Sprache gilt, gilt nach Mutis
Anspruchsdenken auch für jede andere. Man könne
nicht Goethe inszenieren, wenn man nicht deutsch
könne, nicht Shakespeare, wenn man nicht englisch
spreche; nicht Dante deklamieren, wenn man den ita-

lienischen Sinn nicht verstehe, und nicht Racine, ohne französisch zu können. Die Übersetzungen seien eben immer nur Hilfsmittel.

Mich interessiert, wo seiner Meinung nach die klassische Musik geendet habe.

»Wagner und Richard Strauss waren für viele die letzten Klassiker. Ich sehe das anders. Ich habe eine sehr positive Einstellung zu den modernen Komponisten.« Und wieder erinnert er an Robert Schumann, der der Ansicht war, daß der ausübende Musiker, der sich weigert, die Werke seiner Zeitgenossen zu Gehör zu bringen, ohne Kultur sei und seinen Beruf verfehlt habe. Muti ist der gleichen Ansicht und nimmt sich vornehmlich so bedeutender Komponisten wie Penderecki, Ligeti oder Lutoslawski an. Lächelnd erinnert er sich: »Als ich mein erstes Gastkonzert in Philadelphia gab, führte ich Penderecki auf. Das war eine regelrechte Provokation für die dortige extrem konservative Musikgemeinde. Vor allem die Damen, ich denke noch heute amüsiert daran zurück, wußten nicht recht, ob sie ohnmächtig werden sollten oder nicht. Aber viele waren auch sehr begeistert. Ich bekam zahlreiche Briefe – die Amerikaner schreiben ja so gerne –, in denen man sich überschwenglich bei mir bedankte.«

Muti zählt die vorgenannten drei zeitgenössischen Komponisten zu jenen Klassikern, die in jedes Konzertrepertoire gehören. Er glaubt sogar bis zu einem gewissen Grade an elektronische Musik und Experimente, die damit gemacht werden. Zwar hat er seine Zweifel, daß das die Musik ist, von der wir heute sprechen, aber wenn er, wie er sagt, die Möglichkeiten bedenkt, die die elektronisch betriebenen Maschinen bieten, so kann er es sich durchaus vorstellen, daß man in zweihundert Jahren einen anderen Klang erleben wird. Damit würde, wie er überzeugt ist, ein neuer Abschnitt in der Musikgeschichte beginnen. Bekanntlich habe jedes Instrument seine Historie. Heutzutage betrachten wir das Cembalo schon fast als ein Relikt der Vergangenheit; dem Piano dürfte schon bald das gleiche Schicksal beschieden sein. Und auch die Orchester stehen am Wendepunkt, meint Muti, ohne Sentimentalität aufkommen zu lassen. Die Zukunft werde neue Instrumente bringen, sie würden der Musikwelt neues Leben einhauchen.

Er steht abrupt auf. Aufbruch?

Ja. Eine letzte Antwort: »Was ich vom Jazz halte, werde ich nicht nur von Ihnen gefragt. Das ist ganz einfach. Der wahre Jazz ist eine Kunstform, ich betone ausdrücklich der wahre Jazz. Nicht die sogenannten Volksgesänge, die von drei Typen mit rotgefärbten Zottelhaaren und der Gitarre in der Hand unter ekstatischen Verrenkungen vorgeführt werden. Sie erwähnen die Beatles. Die sind eine andere Qualität, sie haben auf ihre Weise klassische Musik gemacht. Man kann sie natürlich nicht mit Beethoven in einem Atemzug nennen oder gar mit ihm vergleichen. Aber zu ihrer

Zeit waren sie durchaus ein Ereignis. Und für mich
sind sie gelegentlich sogar eine Art Entspannungsfak-
tor. Wenn ich nämlich mal gar nichts mehr denken
will!«

Es ist soweit. Muti will nicht mehr denken, nicht mehr
sprechen, auch nicht die Beatles hören! Er will jetzt nur
noch auf dem schnellsten Wege nach Hause. »Hier ist
meine Adresse, falls Sie noch Fragen haben«, sagt er
und schiebt mir einen handgekritzelten Zettel zu.

Draußen vor der Tür ein fröhlich-freundschaftliches
Arrivederci mit »Umarmung auf italienisch«.

Ich fühle mich erleichtert. Für meinen Auftrag habe
ich mehr als genug im Kasten. Der Maestro, der nichts
von großen Zeremonien hält, verschwindet blitzschnell
im Auto. Meinen Dank quittiert er mit einem Lächeln,
dann gibt er lautstark Vollgas.

Während der Fotograf und ich rasch unsere Siebensa-
chen verstauen, sind die Schlußlichter von Mutis Wagen längst in der Dunkelheit verschwunden.

Ravenna
1982

Ein Jahr später folgt die Fortsetzung unserer in Florenz geführten Unterhaltung. Riccardo Muti, auch für die deutschen Illustriertenmacher allmählich ein heißer Tip, soll für eine Home-Story abgelichtet und einvernommen werden.

Ich habe Glück: Muti war mit meinem ersten Magazinbeitrag zufrieden, wie ich um mehrere Ecken erfahre. Er ist zu einer neuen Sitzung bereit, stimmt einem Termin in seinem Hause zu.

Von Mailand aus nehme ich den Zug nach Ravenna mit Umsteigen in Bologna. Für Vielflieger ein Unternehmen nicht ohne Reiz, wenn auch etwas ermüdend. Die etwas über dreistündige Fahrt läßt sich jedoch für mich gut überbrücken – ich habe interessante Lektüre auf dem Schoß. Oriana Fallaci, Italiens berühmte Interviewerin, hat mir tags zuvor einen Packen in- und ausländischer Rezensionen zu ihrem 1980 auch in Deutschland erschienenen Werk »Ein Mann« in die Hand gedrückt. Im Mailänder Hotel »Manin« hatten wir uns getroffen – sozusagen zwei alte Bekannte. Ich war der weltweit gefürchteten Journalistin schon 1978 höchst privat zum erstenmal in ihrem Haus in der

Toskana begegnet. Damals quälte sie sich arg mit dem inzwischen in Italien zum brisanten Bestseller aufgerückten Buchprojekt herum. Trotzdem gab sie sich zahm, liebenswürdig, gastlich.

Auch andere italienische Prominente, die ich inzwischen kennengelernt hatte, waren allesamt gleichermaßen ausgesucht höflich. Nirgendwo spürte ich Arroganz oder Allüren.

So habe ich auch Riccardo Muti in Erinnerung. Wie würde er sich bei unserem zweiten Treffen verhalten?

Der Taxifahrer, der mich vom Bahnhof zum Haus des Maestro bringt, kennt den berühmten Herrn und auch den Weg. Trotzdem fährt er für mich verschlungene Pfade, von einer Einbahnstraße in die nächste. Ich habe das Gefühl, in einem Labyrinth zu enden, bin froh, daß ich meinen ursprünglichen Gedanken fallengelassen habe, mich mit dem Auto selbständig auf den Weg zu machen. Wahrscheinlich wäre ich nie angekommen. Ich stelle mir die Wiederholung des vorjährigen Desasters vor. Nicht auszudenken! Eines ist sicher: Die Ecke, in der das Taxi schließlich hält, hätte ich alleine auf Anhieb garantiert nicht gefunden.

»Hier kann ihn natürlich kein unerwünschter Besucher aufstöbern«, sage ich halblaut vor mich hin, »da steckt die mir nicht unbekannte gezielte Absicht dahinter, für die Welt unauffindbar zu sein.«

Der Taxifahrer, der mich zwar nicht versteht, aber wohl ahnt, was ich meine, lobt den Maestro als prominenten,

aber ganz zurückhaltenden und beliebten Bürger dieser Stadt. Dann springt er aus dem Auto und zeigt mir
die versteckt liegende Eingangstür.
Auf Klingeln öffnet ein freundliches Hausmädchen
und bittet mich herein. Sie weiß Bescheid.
Noch ehe ich mich im geschmackvoll eingerichteten
Ambiente umsehen kann, erscheint im Sturmschritt
der Hausherr. Zuvorkommend geleitet er mich in den
Wohnraum, meint bedauernd, daß unvorhergesehe-
nerweise die Tontechniker seiner Schallplattenfirma
im Hause seien, um mit ihm neue Einspielungen abzu-
hören. Mit dem wichtigsten sei man schon durch. Das
Gespräch, nur eine Woche vor Weihnachten angesetzt,
sollte dennoch stattfinden – er hatte unseren schon
länger verabredeten Termin nicht platzen lassen wollen.
Erleichtert registriere ich, daß Riccardo Muti mir
schon bei der Begrüßung fast wie einer guten Freundin
des Hauses entgegenkommt. Ich fühle mich vom ersten
Augenblick an wohl, spreche das auch aus.
Es freut ihn offensichtlich. Er entschuldigt die momen-
tane Abwesenheit seiner Frau, die mit einem der Kinder zum Arzt mußte.
Meine anfängliche Schwellenangst ist rasch verflogen.
Muti weiß, worum es diesmal geht. Ich will hauptsächlich etwas über sein Zuhause erfahren.
Aber zunächst höre ich von ihm, daß er den ganzen
Vormittag die Aufnahme seiner diesjährigen, mit Mi-

chael Hampe als Regisseur erarbeiteten Salzburger
Neuinszenierung von Mozarts *Così fan tutte* mit den
aus London angereisten Tontechnikern überprüft hat.
Da bleibt es natürlich nicht aus, daß ich zu erkennen
gebe zu wissen, wie triumphal die Premiere am 28. Juli
des Jahres und insbesondere sein Dirigat von der inter-

Così fan tutte

Opera buffa in zwei Akten
Text von Lorenzo da Ponte
Musik von Wolfgang Amadeus Mozart

Dirigent: Riccardo Muti
Inszenierung: Michael Hampe
Bühnenbild und Kostüme: Mauro Pagano
Choreinstudierung: Walter Hagen-Groll

Wiener Philharmoniker
Konzertvereinigung Wiener Staatsopernchor

Fiordiligi ⎱ Schwestern	Margaret Marshall
Dorabella ⎰	Agnes Baltsa
Guglielmo, Offizier, Fiordiligis Liebhaber	James Morris
Ferrando, Offizier, Dorabellas Liebhaber	Francisco Araiza
Despina, Kammermädchen der Damen	Kathleen Battle
Don Alfonso, ein alter Philosoph	José van Dam

Ein Wirt: Gerhard Paul
Soldaten, Diener, Schiffer, Volk

Ort der Handlung: Neapel

Kleines Festspielhaus
Mittwoch, 28. Juli 1982, 18 Uhr

Pause nach dem ersten Akt

Besetzungszettel der Premiere »Così fan tutte« von Wolfgang Amadeus
Mozart bei den Salzburger Festspielen 1982 (Collage)

nationalen Presse gefeiert wurde. Er winkt zurückhaltend ab, und meint: »Hoffentlich läuft es nächstes Jahr
wieder genauso gut, dann bin ich zufrieden.«

Unbestritten bleibt, daß er mit seiner *Così* mühelos den
bis dahin von Karl Böhm besetzten Mozartplatz erobert
hat. Und was in der österreichischen Karajan-Domäne
so glänzend begann, setzte sich später in der Berliner
Philharmonie fort. Beim dort veranstalteten Mahler-
Festival gab es für Muti und sein amerikanisches Orchester Ovationen, wie sie in diesem Hause sonst nur
zu hören sind, wenn der Chef selbst am Pult steht. Als
am 7. Dezember, dem Festtag des Mailänder Stadtheiligen Ambrosius, die Saisoneröffnung mit Verdis *Ernani* zur Katastrophe abzurutschen drohte, war der
erstmals zu diesem alljährlichen italienischen Nationalereignis in diesen Paradetempel gebetene Muti der
Retter der Nation. Den Premierenniedergang, vorprogrammiert durch antiquierte Bühnenausstattung und
schlecht disponierte Chöre und Elitesänger, verhinderte er durch eiskaltes Durchhalten. Die stürmischen
Ovationen des kritischen Publikums galten dann auch
weitgehend ihm. Und die größte Ehre: Italiens greiser
Staatspräsident Pertini erhob sich spontan von seinem
Platz und umarmte den »Teufelskerl« mit einem lachenden und einem weinenden Auge. Die italienischen Gazetten feierten Muti tags darauf geradezu
hymnisch. »Es wird wohl was dran sein«, meine ich, als
ich auf dieses jüngste Ereignis antippe, ernte nur lautes

Besetzungszettel der Stagione-Eröffnungspremiere 1982: »Ernani« von Giuseppe Verdi, Teatro alla Scala, Mailand

Lachen und die Bemerkung: »Kein Kommentar, bitte!« Daß er mit der Premiere von *Così fan tutte* den elften Jahrestag seines ersten Auftretens bei den Salzburger Festspielen feierte und gleichzeitig seinen einundvierzigsten Geburtstag, fällt mir natürlich erst ein, als ich das Haus längst wieder verlassen habe.

Muti will nun rasch zur Sache kommen. Wir setzen uns, die Atmosphäre ist gelöst.

»Das mit Ravenna«, so beginnt er von sich aus, »ist eine besondere Geschichte«, und erzählt. 1966 kam er zum erstenmal hierher, zusammen mit Cristina, mit der er damals noch nicht verheiratet war. Wie sie studierte er inzwischen am Konservatorium in Mailand. Sie Gesang, er Komposition und Dirigieren. In der Nähe von Ravenna war mit gemeinsamen Freunden ein kleines Konzert arrangiert worden. Muti hatte den Teil am Piano übernommen. Er gibt offen zu, daß er Ravenna bis zu diesem Tag nur aus dem Geschichtsunterricht kannte. Dann wörtlich: »Es war Liebe auf den ersten Blick. Meine Begeisterung kam nicht von ungefähr. Die Stadt erinnerte mich spontan an Molfetta. Sie wissen, Molfetta ist jenes Städtchen an der Adria nahe Bari, wo ich siebzehn Jahre mit meinen Eltern und Geschwistern lebte.« Und damit ich es auch ganz genau nachvollziehen kann, erklärt er mir, daß Ravenna ihn auf ideale Weise zum Meer seiner Jugend zurückgebracht habe. Nur sieben Kilometer ist das Wasser von der Stadt entfernt. Der in Neapel geborene Muti unterstreicht begeistert, daß es von Anfang an die Atmosphäre dieser Stadt gewesen sei, die es ihm angetan hatte. Dazu kam, daß ihn die Natürlichkeit und die verbindlichen Umgangsformen der Menschen stark an seine süditalienische Heimat erinnerten. Wieder höre ich, was ich schon weiß, worauf Muti aber nicht verzichten will immer noch einmal hinzuweisen: er ist Süditaliener durch und durch.

Der auch dieses Mal mit großem Ernst gesetzte Akzent wird durch das Kläffen eines Hundes im Hintergrund unterbrochen. Muti jetzt lachend: »Das ist unser Basilio. Sie werden sehen, nur ein bißchen Hund.« Er ist übrigens nicht das einzige Haustier, das sich hier wohl zu fühlen scheint. Drei Papageien, Teodoro, Orfeo und Euridice, ein Kaninchen namens Fritzi und zwei Hamster, Dante und Beatrice, leben einträchtig als Spielgefährten der Kinder mit der Familie unter einem Dach.

»Aber zurück zu damals. Eigentlich war die Entscheidung für Ravenna für mich schon nach dem ersten Aufenthalt gefallen. Wenn wir zusammenbleiben und heiraten würden, dann wollten Cristina und ich hier ein Haus haben. Die alte Kulturstadt kam mir auch deswegen hundertprozentig entgegen, weil ich hier das zurückgezogene Leben führen kann, das ich zum Ausgleich für mein hektisches Berufsleben brauche. An Societygeplänkel waren wir schon damals nicht interessiert.«

So liebt Muti die Stadt nicht nur wegen ihrer berühm-

ten Mosaiken, die die ganze Welt kennt. Und er hat
gute Gründe. Die für ihn wichtige Lebensqualität defi-
niert er kurz: Hier wird man akzeptiert, wie man ist,
ohne viel Aufhebens. Hier hat er gute Freunde gefunden, hier kann er auch als bekannter Dirigent völlig
unbehelligt leben.

Einschränkend erinnert er sich, daß seine Frau ursprünglich wohl lieber in Florenz wohnen geblieben
wäre, wo sie nach der Heirat von 1969 bis 1975 lebten.
In der Arno-Stadt sind auch die drei Kinder geboren.
Aber längst ist auch Cristina Muti glücklich, daß es
dieses Haus gibt. »Zugegeben, subjektiv profitiere ich
am meisten davon. Da ich die überwiegende Zeit des
Jahres in Großstädten und immer in Gesellschaft von
vielen Menschen zubringen muß, betrachte ich dieses
Haus als meine unverzichtbare Rückzugsmöglichkeit.«
Muti wiederholt, daß es immer sein Wunsch gewesen
sei, irgendwo ganz für sich sein zu können, fern vom
Musikbetrieb, auch von den Musikern. Aber er korri-
giert sich schnell, meint, daß das natürlich nicht heißen
solle, daß er die Musik vergessen will, denn das gehe
gar nicht. Vergessen will er andere Dinge. Zum Beispiel Negativgeschwätz über Dritte. Denn leider wird,
was ich ihm aufs Wort glaube, unter Musikern in der
Freizeit nicht konstruktiv über Musik gesprochen, sondern der eine oder andere häufig kritisch unter das
Brennglas genommen. Vornehm formuliert! Dem hat
er sich nach Möglichkeit immer entzogen. Und die

kurze Pause, die er jetzt einlegt und während der er
sinnend aus dem Fenster schaut, macht mir einmal
mehr klar, daß er wohl wirklich nur in diesem häuslichen Milieu auftanken und seine Batterien neu laden
kann. Wenn er an der Scala dirigiert, besteigt er sein
Auto und fährt nach der Vorstellung nach Hause. Eine
Übung, die sich eingespielt hat. Nicht so, wenn er
Proben leitet. Dann bleibt er in Mailand über Nacht.
Aber auch von Salzburg oder München aus hat er sich
nach dem Schlußapplaus hinter das Steuer gesetzt und
ist nach Ravenna gedüst.

Die sportliche Superleistung gibt es auch. Zur Premiere von *Aida* kam er am Nachmittag gegen 16 Uhr in
der Garage an, duschte, zog sich um und stand um
19 Uhr am Pult. Nach der Vorstellung fuhr er die Tour
sofort wieder zurück. Der »Rennfahrer« Muti hatte die
Strecke in zweimal sechs Stunden geschafft. »Kompliment«, entfährt es mir. Da offensichtlich noch Ungläu-
bigkeit in meiner Stimme mitschwingt, hat er die Erklärung gleich parat: »Das konnte ich nur riskieren,
weil ich einen schnellen und sicheren deutschen Wagen
fahre.« Noch ein Kompliment? Die Frage kommt vom
Maestro und geht im allgemeinen Gelächter unter.

Jetzt werden Espresso und Gebäck gereicht. Still-
schweigend registriere ich, daß Riccardo Muti in den
heimischen vier Wänden deutlich seltener zur Zigarette greift.

Dann erzählt er mir die Geschichte vom Haus. Erst

1973 war es gefunden. Die Mutis entdeckten es hinter alten Mauern versteckt – ein Gesindehaus mit Stallungen, das zu einem ehemaligen, aus dem 14. Jahrhundert stammenden Kloster in der Nachbarschaft gehörte. Es war zu verkaufen, also griffen sie zu. Und wie ein gelernter Architekt und Raumgestalter erläutert Muti jetzt die baulichen Zusammenhänge. »Unser Florentiner Freund Berardi, ein Mann, der einen hohen Ruf als Architekt in Italien genießt, baute es nach unseren Bedürfnissen und Wünschen um. Unser Wohntrakt übrigens, also da, wo wir uns gerade befinden, war früher Kuh- und Pferdestall. Berardi hat glücklicherweise soviel wie möglich vom Grundriß und der alten Bausubstanz erhalten können, konnte beim Umbau alle Proportionen so belassen, wie er sie vorgefunden hatte. Für die Wände beschaffte er alte Ziegelsteine aus toskanischen Abrißhäusern. Der Garten, der zum Haus gehört, und der besonders im Frühling und Sommer ein wahres Juwel ist, war einst der Klostergarten.«

»Dann befinden wir uns sozusagen auf geweihtem Terrain«, werfe ich ein.

Muti bejaht und ergänzt schmunzelnd: »Hier lebten lange Mönche und Klosterschwestern.« Daß es auf dem heutigen Grund und Boden nicht mehr so ruhig zugeht wie seinerzeit, dafür sorgen längst die drei Muti-Kinder. »Wir haben hier – bis auf den Schlaftrakt – ein Haus nicht der offenen, sondern der nichtvorhan-

denen Türen.« Muti betont, daß das seine Idee war.
»Wir wollten kein Wohngefängnis, hier soll jeder rein-
und rausgehen, wie und wann er will. Das gilt übrigens
auch für die Stunden, in denen ich hier arbeite.« Lärm
und Kindergebrüll bringen den Meister nämlich keineswegs aus dem Takt. Wenn er in seinem Studio ein
Werk studiert, können die Kinder neben ihm ruhig
Purzelbäume schlagen. Was er allerdings bei der Arbeit ausdrücklich nicht verträgt, ist jede Art von Gesang
und Singerei.
Plötzlich lenkt er das Gespräch in eine andere Richtung, fragt unvermittelt und direkt: »Finden Sie unseren Wohnstil eigentlich sophisticated?« Und noch ehe
ich ihm versichern kann, daß ich genau das Gegenteil
empfinde, gibt er die Antwort selbst: »Ich finde nicht.«
Auch ich halte das Ambiente für eine gelungene Symbiose aus sehr gemütlich und sehr chic.
Muti: »Wir wollten nämlich ein Haus, in dem man lebt.
Nicht eines, in dem man sich wie im Museum vorkommt, so etwas, wo man Angst haben muß, sich auf
einen Stuhl zu setzen, weil womöglich ein Bein oder die
Lehne bricht.« Eine Vorzeigewohnung könne er absolut nicht leiden, überhaupt sind ihm alle Arten von
Renommiermöbeln äußerst suspekt. »Für mich hat
Wohnen etwas mit Tradition zu tun. Die Gegenstände
sollen über ihre Künstler mit mir sprechen. Dabei muß
man die Liebe zum Antiken keineswegs so weit treiben,
daß geschmackvolles modernes Design nicht integriert

werden kann. Übrigens, direkt über dem Wohnraum
habe ich mein Studio.«
Der Maestro ist dafür, daß wir wohl am besten gleich
einen Blick hineinwerfen. Er will mir nämlich seine berühmte Marionettensammlung zeigen, die neben seinem Arbeitszimmer untergebracht ist. Die Kollektion,
die mehr als zweihundert Stücke umfaßt und von denen einzelne bis zu zweihundert Jahre alt sind, stammt
aus dem Besitz seines Schwiegervaters. Sie zählt zu den
wertvollsten Italiens. Gelegentlich wird eine kleinere
Anzahl von Puppen für Ausstellungen ausgeliehen.
Der Maestro erzählt eine Geschichte, die zur berechtig-
ten Hommage wird. Sie berührt mich sehr, denn eigentlich paßt sie gar nicht mehr in unsere heutige, von
Profit und Egozentrik diktierte Zeit. Aber Muti, dem
die subtilen Zusammenhänge wichtiger sind als die
große Show, gibt sie ganz selbstverständlich preis.
Sein Schwiegervater war Zahnarzt, bestand aber immer scherzhaft darauf, daß er hauptberuflich Mario-
nettenspieler und nur zum Hobby Arzt gewesen sei.
Der Maestro beschreibt ihn als außergewöhnlichen
Menschen. Viele Jahre seines Lebens hat er mit seinen
Marionetten zugebracht. Er hatte drei kleine Theater,
die er von einem Platz zum anderen verlegen konnte.
Und an vielen Abenden, nach einem oft anstrengenden
Acht- bis Neunstundentag in der Praxis, besuchte er
alte Menschen in ihren Wohnungen oder die Kranken
im Hospital und unterhielt sie mit seinen Vorführun-

gen. Damit machte er gewiß viele Menschen glücklich.
Und auch ihn wird es wohl sehr befriedigt haben, denn
schon als Bub hatte er begonnen, diese Marionetten zu
sammeln. Nun, da sie ausgedient und einen herausge-
hobenen Ehrenplatz gefunden haben, beflügeln sie die
Phantasie Riccardo Mutis.

Die Textbücher und Partituren zu den Marionetten-
spielen werden übrigens gleichfalls sorgsamst im
Hause verwahrt. Muti, jetzt gedankenverloren: »Die
Marionetten sind mein stilles Publikum, das mir bei
der Arbeit zuschaut. Wenn ich ihre Gesichter betrachte, habe ich das Gefühl, sie verfolgen alle meine
Handlungen hier am Schreibtisch oder am Piano. Es
ist, als beobachteten sie kritisch, was ich gerade tue. Sie
sind Teil meines Lebens geworden und Teil meines
Arbeitsraumes. Ohne sentimental zu sein, glaube ich,
daß sie eine Seele haben.«

Er unterbricht kurz und bittet mich, mir doch selbst
einen Eindruck zu verschaffen. Ich bin fasziniert, habe
so etwas in dieser Fülle und Außergewöhnlichkeit bisher noch nicht gesehen. Als wir beide die ausdrucksstarken Gesichter aus nächster Nähe betrachten, führt
er seinen Gedanken weiter: »Vielleicht besitzen sie
wirklich eine Seele. Denn sie haben ja viele Jahre hier
in der Gegend Theater gespielt.« Kurzes Innehalten,
dann: »Sie waren sicher auch sehr gute Schauspieler,
manchmal vielleicht besser als die, die ich auf der
Bühne habe. Aber das ist natürlich nicht wörtlich zu

nehmen.« Muti meint abschließend, daß es oft eine Frage des Glücks oder Zufalls sei, gute Sänger zu haben, die auch gute Schauspieler sind. Wunder dürfe man nicht erwarten.

An Wunder glaubt er nämlich nicht. Vielmehr daran, daß wir unsere Wunder selbst machen müssen. »Ich glaube nicht, daß die Dinge vom Himmel kommen oder aus ähnlichen Regionen. Ich glaube in gewisser Weise an das Schicksal. Das ja. Aber keinesfalls an Wunder. In erster Linie müssen wir selbst hart arbeiten und die Möglichkeiten nutzen, um eine Begabung in uns zu fördern. Dann können wir gewinnen oder verlieren. Aber das hat nichts mit Schicksal zu tun. Das Schicksal stellt uns vor eine Situation. Wir allein müssen das Problem lösen. Es wäre ein Trugschluß zu glauben, daß das Schicksal uns unsere Probleme abnimmt.«

Da wir eine Thematik berühren, die jeden von uns betrifft, kommt der Maestro, der von sich behauptet, Realist zu sein, übergangslos auf seinen Olivenbaum zu sprechen, den ich im Garten sehen kann. Und schnell wird mir klar, daß es sich hier um ein besonderes, sehr persönliches Schicksal handelt. Er gibt zu, daß ihn der Vorgang immer wieder beschäftigt.

Muti beschwört die Landschaft Süditaliens, die von Olivenbäumen geprägt ist, ähnlich wie in der Toskana. Dabei sind seine Gedanken jetzt in erster Linie in Bari und in jener Gegend, in der er aufgewachsen ist und wo er seine Wurzeln hat. Leise: »Der Olivenbaum hat für mich eine Bedeutung, die ich nicht konkret erklären kann. Nicht nur, weil er schon in der Bibel eine bedeutende Rolle gespielt hat. Er ist mir auf gewisse Weise sakrosankt.« Fachkundig erklärt er, daß der Baum in der Ravenna-Region, also in der Romagna, nicht gedeihen kann. Das liege am Boden, an der Luft, an der ganzen Atmosphäre. Cristina Muti wußte natürlich um die Sehnsüchte ihres Mannes und welche besondere Bedeutung dieser Baum für ihn hat. So hat sie eines Tages klammheimlich aus der Toskana einen kleinen Olivenbaum mitgebracht und ihn im Garten eingepflanzt. Muti, jetzt temperamentvoll: »Alle haben sie die Hände gehoben und uns für verrückt erklärt, das Unternehmen Zeit- und Geldverschwendung genannt. Kurz und gut, die Skeptiker waren sich einig, daß der Baum hier niemals geeignete Lebensbedingungen finden würde.« Nach längerer Pause greift er jetzt doch zur Zigarette, macht einen genüßlichen ersten Zug und erklärt mit der Pose des Siegers: »Wider besseres Wissen muß ich hier an ein Wunder glauben. Sie werden es nicht für möglich halten, aber der Baum hat überlebt und gedeiht prächtig. Jahr für Jahr ernten wir seitdem Unmengen von Oliven. Ich glaube fest daran, er ist nur deswegen durchgekommen, weil er gefühlt hat, daß wir ihn sehr lieben.« Die Worte sind leise und eindringlich gekommen, nun fügt er hinzu: »Ich glaube auch daran, daß Bäume und Blumen genau spüren, ob sie von uns Menschen gemocht werden oder nicht. Es ist sicher ein Irrtum, anzunehmen, daß sie von uns getrennt existieren, sie sind ein Teil des Kosmos. Man muß mit seinen Pflanzen sprechen, wenn aus ihnen etwas werden soll. Und so bin ich auch davon überzeugt, daß Bäume auf Musik reagieren. Ich brauche nur mein Fenster hier im Studio zu öffnen, dann kann ich buchstäblich zuschauen, wie sich der Garten entfaltet. Dieses kleine Paradies da draußen ist auch ein Teil meines Lebens.«

Was ist das doch für ein hochsensibler Mensch, dieser Riccardo Muti, der mir hier zu Herzen gehende Geschichten anvertraut, während man ihn auf den Podien der Welt als kompromißlosen Musikinterpreten kennt! Aber er läßt mir keine Chance, das Bild vom gestrengen Orchesterdompteur in den Vordergrund zu schieben. Er beginnt wieder sachlich weiter vom Haus und den Gegenständen zu berichten, die sich hier befinden. Meint, daß sie seiner Frau und ihm schon deswegen viel bedeuten, weil die meisten von ihnen eine Geschichte haben. Und dabei denkt er nicht ausdrücklich an die Marionettensammlung.

Plötzlich macht er eine Kehrtwendung in Richtung Flügel, geht ein paar Schritte darauf zu, nimmt eine Partitur aus der überreich bestückten Bibliothek und sagt: »Dieser Flügel ist ein Stück von mir, er gehört zu jenen Dingen, die Teil meiner Karriere sind, von denen ich mich nie trennen werde. Als ich als Dirigent anfing, lebte ich räumlich sehr beengt. Das größte Piano, das ich mir leisten konnte, auch finanziell, war dieser kleine Flügel. Auf ihm habe ich alle Partituren erarbeitet, die meinen Erfolg begründet haben.« Muti, jetzt wieder von jener weltentrückten Art, in der ich ihn schon ein paarmal erlebt habe, spricht weiter: »Heute, an diesem Punkt meines Werdegangs, will und kann ich ihn nicht abschieben. Er ist wie eine Kreatur und würde es nicht überstehen. Ich werde ihn bis zu meinem letzten Tag behalten. Er hat mit mir angefangen und wird mit mir enden. Er hat mir bisher gedient, er wird es auch in der Zukunft tun. Ich brauche kein Paradeinstrument. Wenn ich nicht an diese Dinge glauben würde, könnte ich nicht existieren.«

Da sitze ich nun, höre gebannt zu, unterbreche mit keiner Frage seine »Bekenntnisse« und vergesse darüber sogar meinen heißgeliebten Espresso, der inzwischen kalt geworden ist. Von diesem Muti kann man etwas lernen, wenn man inmitten unserer heutigen berechnenden Wegwerfgesellschaft lebt, denke ich. Da schiebt er schon den nächsten unzeitgemäßen »Coup« nach.

Er erzählt von seinem ersten Auto. Zwölf Jahre fuhr er es und wollte es unter gar keinen Umständen gegen ein neues eintauschen. »Ich hing an ihm, denn ich hatte darin meine Kinder, meine Frau, meine Mutter, meinen Vater gefahren, alles Menschen, die ich liebe. Ich konnte mich erst zum Verkauf entschließen, als ich den

8 Probe für ein Konzert in München, achtziger Jahre. – Klaus Bennert schrieb am 19. Mai 1993 in der »Süddeutschen Zeitung«: »Die Begeisterung war einhellig nach dem letzten Sonderkonzert mit dem BR-Symphonieorchester: stürmische Ovationen für Riccardo Muti und die Musiker, die ihrerseits ihre Wertschätzung für den Maestro in ungewohnter Deutlichkeit demonstrierten. Riccardo Muti als gefeierter Superstar: Denn kaum einen zweiten Dirigenten seiner Generation könnte man nennen, der allen Standardvorstellungen vom Maestro assoluto dermaßen gerecht wird wie Muti – und sich dabei doch immer als seriöser, sensibler und kluger Künstler der obersten Güteklasse erweist.«

9 Der temperamentvolle Chefdirigent mit seinem Philadelphia Orchestra auf Europatournee: Konzert am 29. August 1982 in der Alten Oper Frankfurt

10 Eine weitere Tourneestation mit dem Philadelphia Orchestra war Berlin: Ankunft von Cristina und Riccardo Muti am 3. September 1982 in Tegel . . .

11 . . . und Verständigungsprobe mit seinen Musikern in der Philharmonie

12 Ein vertrautes Bild: Der Maestro, sensitiv und entrückt, im Jahre 1983 bei einer Orchesterprobe in München

13 Ravenna 1983: Im häuslichen Studio zeigt mir Riccardo Muti während unseres Fernsehinterviews seine Partituren.

14/15 Von 1982 bis 1991 ein Juwel der Salzburger Festspiele: Die Riccardo Muti/Michael Hampe/
Mauro Pagano-Produktion von Wolfgang Amadeus Mozarts »Così fan tutte« im Kleinen Festspielhaus:
Margaret Marshall (Fiordiligi), Agnes Baltsa (Dorabella), 1982 (oben) – und (v. l. n. r.) Deon van der
Walt (Ferrando), Margaret Marshall (Fiordiligi), Ann Murray (Dorabella), Thomas Hampson
(Guglielmo), 1990 (unten)

neuen Besitzer gut genug kannte. Ich sah darin eine Fortsetzung meines Lebens.« Muti, der merkt, daß ich langsam aus dem Tritt komme, jetzt kurz und bündig: »Ich bin nun mal so. Und wenn ich mich in unserem Haus umschaue, dann bestätigt sich immer wieder eines für mich: Nur hier kann ich mich auf mich selbst besinnen.«

In diesen Bereich gehört für ihn auch die abgeschiedene Lage Ravennas. Fast übermütig meint er: »Dieser Ort zählt glücklicherweise nicht zu den Zielen des Massentourismus. Nach hier kommt man nur, wenn man einen bestimmten Grund hat. Entweder ist man Kunstfex oder man hat geschäftlich zu tun.«

Ich kann mitreden, denn die Tour, die ich gerade hinter mir habe – und ich muß ja auch wieder zurück –, nimmt man nicht ohne weiteres auf sich.

Muti macht klar, warum er sich ausgerechnet ins entlegene Ravenna abgesetzt hat. Er erläutert: Wer zum Beispiel an die Badeorte der Adria möchte, kommt an einem Knotenpunkt wie Bologna nicht vorbei, auch wenn er da gar nicht hin will. Ravenna dagegen liegt abseits, fern von allem Rummel. Wer nicht muß, so Mutis Rechnung, der kommt nicht. Die Kalkulation ist aufgegangen. Und als hielte er eine Siegestrophäe in Händen, sagt er: »So gesehen, wandle ich auf Lord Byrons geistigen Spuren. Alles, was der kluge Engländer – er war übrigens in eine adlige Dame aus Ravenna verliebt – 1821 über Ravenna niedergeschrieben hat,

kann ich heute noch unterschreiben, hundertsechzig
Jahre später. Auch Byron schätzte hier die erstaunlich
gut erzogenen Menschen, das köstliche Klima und den
Ort, der von Fremden der ungünstigen Lage wegen
selten besucht wird. Und niemals wollte er auf seine
Ritte durch den Pinienwald verzichten, durch den wir
heute radeln.«

All das bezeichnet Muti auch als *sein* Glück, zumal sein
Haus auch noch, wie er es augenzwinkernd ausdrückt,
Festungscharakter habe. Wenn schon Ravenna
schwierig zu finden sei, dann sei es sein Haus gottlob
allemal. Dem kann ich nur zustimmen. Mit Menschen-
scheu oder gar Snobismus habe das alles nichts zu tun,
versichert er mir, sondern schlicht mit den in Florenz
gemachten Erfahrungen. Sie waren ihm eine Lehre.
Dort konnte er weder Telefonattacken verhindern,
noch die Leute davon abhalten, daß sie nach kurzem
Klingeln schon mitten in seinem Wohnraum standen.
»Hier in Ravenna habe ich dem allen im wahrsten
Sinne des Wortes einen Riegel vorgeschoben. Wenn
ich vom Telefon nicht mehr gestört sein will, dann lasse
ich es einfach klingeln oder hänge es aus. So einfach ist
das.«

Muti macht es sich auf der Couch bequem, läßt noch
einmal, nicht ohne Besitzerstolz durchblicken, daß
man unter diesem Dach so wohltuend die Hand eines
feinfühligen Architekten spüre. Tatsächlich, hier er-
gänzen sich Ästhetik und Zweckmäßigkeit auf ange-

nehmste Weise. Auch Mutis Hauptanliegen wurde er-
füllt: ein Studio mit Theatercharakter, in dem er sich
wie in einer Proszeniumsloge fühlt. »Wenn ich in
meinem Studio arbeite, stören mich, wie schon erwähnt, die Kinder überhaupt nicht. Denn ich will unter
keinen Umständen, daß sie meinen Arbeitsbereich als
heiligen Tempel betrachten, in dem der Vater wie ein
unnahbarer Gott thront. Ganz im Gegenteil. Wir legen
Wert auf demokratisches Zusammenleben.« Und er
präzisiert: »Alle drei mögen sie Musik. Aber keineswegs, weil ich sie etwa dazu drängen würde. So haben
sie auf ganz selbstverständliche Weise und ohne jeden
Druck alle Opern kennengelernt, an denen ich arbeite.
Die meisten kennen sie auswendig. Domenico, unser
Jüngster, hat schon als ganz kleiner Knirps die Arien
aus *Nozze di Figaro* richtig gesungen. Aber wir haben
ihn weder dazu angehalten noch großes Aufheben
davon gemacht.«
Muti bedauert jene armen Kinder, die von ihren Eltern
darauf gedrillt werden, irgendeine gängige Arie büh-
nenreif zu trällern, um sie dann in einer Privatvorstel-
lung vor geladenen »Musikfreunden« zum besten zu
geben. Er bezeichnet das als eine typisch italienische
Eigenheit. In anderen Ländern müssen die »Wunder-
kinder« die Geige oder das Piano traktieren. Beinahe
ärgerlich bezeichnet er solche ehrgeizigen Unternehmen als total dumm und töricht. Sie könnten sich nur
negativ auf die Persönlichkeit des Kindes auswirken,

meint er. In seinem Haus läuft so etwas ganz spontan.
Wenn die Familie beim Mittagessen komplett versammelt ist, kann es vorkommen, daß der eine *Figaro*
singt, der andere *Rigoletto*, der dritte *Don Giovanni*.
Der Orchesterchef Muti, jetzt ganz gestrenger Kritiker: »Ich glaube ganz einfach, daß es ein Manko im
Schulsystem ist, wenn die klassische Musik stiefmüt-
terlich behandelt wird. Wäre es nicht so, würden alle
Kinder die ernste Musik als etwas Selbstverständliches
betrachten, nämlich als integrierten Bestandteil der
Allgemeinbildung. Sie würden gar nichts dabei finden, die klassische Musik zu akzeptieren.«
Seine beiden Söhne und seine Tochter sind natürlich
nicht nur mit den Klassikern vertraut, sondern haben,
wie andere Kinder auch, ihre Idole unter den Rock-
und Popstars. Aber was den Stellenwert der klassi-
schen Musik betrifft, so ist sie verständlicherweise für
die Drei über jeden Zweifel erhaben. Muti beharrt
darauf, daß es Sache der Schule sei, sich dieses Bil-
dungszweiges intensiver anzunehmen. Seiner Meinung nach gäbe es dann mehr Menschen, die Beethoven, Brahms oder Wagner ohne Vorbehalte oder Be-
rührungsängste begegnen würden. Er jedenfalls gehört zu jenen, die sich nicht scheuen, so etwas auch in
aller Öffentlichkeit kundzutun. Sei es, daß er in Amerika oder England zu Vorträgen eingeladen ist, sei es,
daß er mit seinen Musikern oder mit Studenten darüber diskutiert.

Wir kommen noch einmal auf das Haus und die Einrichtung zurück. Muti gibt zu, daß er sich aus Zeitmangel wenig um das Interieur kümmern kann, die Gestaltung weitgehend seiner Frau überlassen hat. Das kann er getrost, denn auf ihren guten Geschmack ist Verlaß. Trotzdem geschieht nichts ohne gegenseitige Absprache. Wohlausgewogen stehen auserlesene funktionelle Stücke neben wertvollen Antiquitäten. Muti dazu: »Wenn man so wie unsereiner viel reist, dann gerät man leicht in die Versuchung, von überall her auf der Welt etwas mitzuschleppen. Am Ende hat man dann so eine Art Basar beieinander, wo man von einer Antiquität über die andere fällt. Das war nie mein Stil. Außerdem braucht man als Musiker in seinem Haus noch Luft zum Atmen.«

Viele Stücke sind für ihn an ganz persönliche Erinnerungen geknüpft. So hängt, versteckt an einer Wand, ein kleiner, rund sechshundert Jahre alter Weihwasserkessel aus der Basilika San Lorenzo in Florenz. »Hier habe ich mein erstes Verdi-Requiem dirigiert«, erinnert er sich und fährt dann launig fort: »Aber ich habe die kleine Kostbarkeit nicht etwa ›mitgehen‹ lassen, sondern geschenkt bekommen, wie so manche der Gemälde und Skulpturen, die wir im ganzen Haus verteilt haben.« Und als wolle er seine Wohnphilosophie auf den Punkt bringen, spricht er überdeutlich aus: »Ich kann und will nicht in einer Umgebung leben, wo pedantische Maßstäbe angelegt werden.«

Mutis Blick streift die völlig unorthodox mit Kunstwerken geschmückten Wände und bleibt an einer wertvollen kleinen Farblithographie hängen. Lachend: »Ich wiederhole mich zwar, aber dieses kleine Bild aus der Commedia dell'arte mag ich besonders. Pulcinella, mein Liebling, stimmt mich sofort heiter, nicht nur jetzt, sondern immer dann, wenn ich, gelegentlich, mit dem Rest der Welt im Clinch liege. Aber man wird nur verstehen können, was ich meine, wenn man auch die Figur Pulcinella richtig deutet.«

Für Riccardo Muti sind solche kleinen Hilfskonstruktionen enorm wichtig. Sie geben ihm offensichtlich die Kraft, sich wieder gestärkt in die Berufsschlacht zu stürzen.

Allmählich bin auch ich davon überzeugt, daß Süditaliener wirklich aus einem anderen Holz geschnitzt sind als die übrigen Menschen. Denn schon schiebt Muti eine alte neapolitanische Lebensweisheit nach. Damit das Glück auch über dem Haus noch lange erhalten bleibt, hält der Hausherr streng auf eine Überlieferung von Mama und Großmama: »Ein Haus darf nie fertig sein, es muß immer noch ein bißchen was fehlen. Sonst stirbt einer.«

Doch kaum hat er soviel Verletzbarkeit zugegeben, lenkt er schnell ab, sagt ohne Übergang: »Dirigenten werden oft wie Wundertiere bestaunt und beneidet. Was sehen sie von der Welt, die voller Schönheiten steckt und durch die sie hetzen wie Verbrecher auf der

Flucht? Flughäfen, Lifte, Hotelzimmer. Und wenn sie am Pult stehen, dürfen sie ständig nach unten starren, stundenlang ins Dunkle. Ich fand das nie sehr menschlich und habe mich schon manchmal dabei ertappt, daß ich nicht mehr wußte, ob es noch Winter oder schon Frühling ist.«

Spontan frage ich, ob er eigentlich an Gott glaube.

Ohne lange Überlegung antwortet er mit einem überzeugenden »Ja«. Obwohl, aus Mangel an Zeit, kein regelmäßiger Kirchgänger, so glaubt Muti doch an eine Vorsehung, besser gesagt an ein höheres Wesen, und an etwas, das nach dem Tod kommt. Schon deshalb, weil er sich nicht vorstellen kann, daß wir nur aus dem Grunde leben, um unseren Körper eines Tages den Würmern zu überlassen. »Es kann doch wohl auch nicht sein, daß Mozart nur irgendeine chemische Verbindung gewesen sein soll«, philosophiert er. Und weiter: »Ich denke oft über den Tod nach und was danach sein wird. Daraus resultiert auch mein immer wiederkehrender Wunsch, soviel Zeit wie möglich für meine Familie und für mich zu erübrigen.«

Riccardo Muti schätzt sich zwar zugegebenermaßen glücklich, daß er die Möglichkeit hat, mit den besten und größten Orchestern der Welt zu arbeiten, aber oft genug bedrängt ihn die Frage: Ist der Preis, den man dabei bezahlt, nicht zu hoch, vor allem, wenn man an das Ende des Lebens denkt, alt und womöglich allein ist. Lohnt es sich, aus Karrieregründen den Kontakt zu sich selbst, zur Familie und dem Rest der Menschen zu verlieren?

Wenn ihn solche Gedanken beschäftigen, rettet ihn nur noch die Musik. Dann greift er zu einer Partitur und wird demütig. Denn auch alle großen Komponisten hatten ihre Probleme, dagegen sich seine, wie er meint, vergleichsweise bescheiden ausnehmen. »Verdi zum Beispiel, den ich sehr verehre, hatte mit vielen Schwierigkeiten zu kämpfen. Wenn man nur bedenkt, wieviel Ärger er mit *Rigoletto* hatte, ehe die erste Aufführung stattfinden konnte, einfach nur, weil die Österreicher gegen die Oper waren. Sie mochten das ganze Konzept nicht. Verdi war also gezwungen, mehrere Male die verschiedensten Lösungen anzubieten, den Charakter des Fürsten sowie Ort und Zeit der Handlung zu verändern, ganz zu schweigen vom Libretto. Schließlich hatte er dann doch Erfolg. Aber die Nerven, die er dabei verschlissen hat! Man kann es sich noch nachträglich lebhaft vorstellen.«

Muti erzählt, daß er in der glücklichen Lage ist, eine gute Kopie der *Falstaff*-Partitur zu besitzen, in der man auf einer der Seiten noch den Original-Fingerabdruck von Verdi erkennen kann. Da sei es vor allem interessant, die Handschrift des Meisters zu studieren. Wenn man die Partitur von *Ernani*, den Verdi in ganz jungen Jahren schrieb, mit der des *Falstaff*, seiner letzten Oper, vergleiche, so könne man feststellen, daß sich seine Schrift in all den Jahren nicht verändert habe. Dieses

Merkmal scheint Muti von höchster Wichtigkeit zu sein, wenn man den Charakter und die Persönlichkeit Verdis in der richtigen Weise einschätzen wolle.

Der Maestro steht auf, greift beide Partituren aus dem Regal, legt sie zum Vergleich vor mir auf den Tisch. »Im Alter war Verdi natürlich ein gereifter Mann, aber sein Charakter hatte sich seit seiner Jugend nicht verändert. Eines seiner letzten Fotos hängt hier in meinem Studio. Es entstand kurz vor seinem Tode im Jahre 1901.«

Muti, jetzt ganz emotional in Stimme und Bewegung, gibt zu, daß Verdi für ihn eine Art Gott sei und definitiv der Größte unter den italienischen Komponisten. Und er stimmt mit Gabriele d'Annunzio überein, der zu Verdis Tod sagte: »Piangeva ed amava per tutti – Er weinte und liebte für alle.«

Das Gespräch wird abrupt unterbrochen. Die Tontechniker brauchen den Maestro dringend für die Überprüfung der letzten Feinheiten. In einer halben Stunde geht ohnehin der Abendzug nach Bologna. Ein herzlicher Abschied und Don Basilio, der freche Border Terrier kläfft mich zur Tür hinaus.

Auf der Rückfahrt nach Mailand beschäftigen mich jetzt nicht mehr die Fallaci-Kritiken, ich denke über das Phänomen Muti nach. Auch in seinem häuslichen Refugium hat er sich nicht nur wieder als aufgeschlossener, vielseitig interessierter Gesprächspartner, sondern auch als empfindsamer, dünnhäutiger Zeitge-

nosse präsentiert. Wäre er anders strukturiert, könnte
er dann auch so erfolgreich sein?

Die Frage beschäftigt mich noch länger. Aber eigene
Herausforderungen in den nächsten Monaten drängen
sie zunächst in den Hintergrund. Der unerwartete Tod
der beliebten ZDF-Moderatorin Margret Dünser hat
mich durch Zufall in die »V.I.P.-Schaukel«-Nachfol-
gesendung »exclusiv« katapultiert. Zum Einstand
habe ich mir als ersten Kandidaten keinen Geringeren
als den britischen Filmstar Dirk Bogarde ausgesucht.
Es war gut gelaufen. Die Sendung, im Zuschnitt dem
legendären Dünser-Magazin ähnlich, soll internationale Berühmtheiten in ihren häuslichen vier Wänden
im Gespräch vorstellen. Das ist nicht immer einfach zu
bewerkstelligen, denn die Ansprüche sind hoch und die
Interviewpartner mehr als zurückhaltend. So greife ich
auf Bewährtes zurück. Ich kann nach langem Hin und
Her Norman Mailer für ein Fernseh-Interview gewinnen, auch Monica Vitti, schließlich Alberto Moravia
und Giorgio Armani. Als endlich auch die iranische
Ex-Kaiserin Farah Diba – sie lebt an der amerikanischen Ostküste – nach monatelangem Tauziehen ihr
Einverständnis signalisiert, versuche ich mein Glück
mit Riccardo Muti.

Da allerdings gibt es entgegen meinen Erwartungen
die ersten internen Hürden zu nehmen. Der Welt-
klassedirigent ist den Produzenten natürlich ein Begriff, sie fürchten aber um die Einschaltquoten bei

einer Unterhaltungssendung. Ein Mick Jagger wäre
kein Problem, aber einer, der klassische Musik macht,
ist ihnen fast zu hoch angesiedelt. Schließlich einigen
sich die Kollegen mit mir auf einen Kompromiß: Wenn
wir Riccardo Muti in der Berliner Philharmonie aus
Anlaß eines von ihm dirigierten Konzertes mitfilmen
dürfen und er sich einschließlich seiner Familie und
seinem Haus in Ravenna zur Verfügung stellt, dann
soll es grünes Licht geben.
Bei aller Planspielerei haben wir zunächst die Rechnung ganz und gar ohne den Maestro gemacht. Er ist
keineswegs im ersten Anlauf für ein Fernsehporträt zu
haben. Zeitnot, Imageproblem, Sicherheitsrisiko –
Hindernisse, die auch die anderen prominenten Kandidaten als Erklärung für die Kamerascheu ins Feld
geführt haben – stehen im Wege. Muti: einer für alle?
Keineswegs. Auch unsere vorangegangenen zweimali-
gen Treffen vermögen ihn auf Anhieb nicht zu überzeugen. Die »harte Nuß« soll schon fast ungeknackt in
der Schublade verschwinden, da erreiche ich doch
noch sein Okay. Wir werden in zwei Teilen filmen:
Berlin – Ravenna.

Berlin/Ravenna
1982/83

Ende 1982 dirigiert Muti in der Berliner Philharmonie die »Vier Jahreszeiten« von Vivaldi und Verdis »Quattro pezzi sacri«. Das ZDF-Team erhält die Genehmigung, sowohl die Proben als auch die Aufführung mitzudrehen.

Am »Tatort« – was Wunder – kreist das Gespräch mit Muti natürlich in der Hauptsache um Karajan. Ein Wiederholungsgespräch. Muti bleibt beharrlich bei seinen Aussagen, die ich schon sattsam kenne. Nichts Neues also.

Bei dieser Berliner Begegnung lerne ich erstmalig nun auch Cristina Muti kennen. Sie gefällt mir ausnehmend: eine überschlanke, attraktive und intelligente Dame. Ich kann den Maestro jetzt gut verstehen, der keine Gelegenheit ausläßt, von seiner Frau in den höchsten Tönen zu schwärmen. Auch mir ist sie sofort sehr sympathisch. Daß sie keinen Schritt von der Seite ihres Mannes weicht, hat anscheinend Tradition. »Der Maestro kann nur taktieren, wenn seine Frau im Zuschauerraum sitzt«, berlinert scherzhaft einer der Techniker, der mir den Weg zum Konzertsaal in der Philharmonie zeigt.

Muti probt schon längere Zeit, als ich am späten Vormittag eintreffe. Kamera- und Tonmann sind voll in Aktion, Muti, in Jeans und telegenem roten Pullover, ebenfalls ganz in seinem Element. Das Team ist von ihm und der Kooperation begeistert.

Im Parkett sind nur ein paar Plätze besetzt, anscheinend Bekannte und Freunde des Ehepaars, und natürlich sitzt da auch Cristina Muti. Als sie mich kommen sieht, bittet sie mich herzlich, neben ihr Platz zu nehmen, fragt, ob das vorangegangene TV-Gespräch zwischen ihrem Mann und mir gut gelaufen sei, dann ist sie wieder ganz Ohr für die Vivaldi-Probe ihres Mannes.

Ich bleibe eine Stunde, erlebe, wie Muti eine, dann eine andere Passage wiederholen läßt, an einer bestimmten Stelle im mittleren Teil des »Winters« einsetzt, abklopft, ein paar Takte tutti, dann eine Instrumentengruppe allein spielen läßt. Darauf erklärt er, wie er einen melodischen Bogen, wie er eine Pianophrase akzentuiert haben möchte und läßt den ganzen Satz noch einmal wiederholen. Ich habe den Eindruck, daß alles nach Plan läuft. Das Arbeitsklima zwischen den Berliner Musikern und ihrem italienischen Gastdirigenten ist überaus harmonisch, Mutis häufige Präsenz in Berlin deutlich zu spüren.

Am nächsten Abend ist die Philharmonie ausverkauft. Vor den Türen und in der Eingangshalle werden Karten zu Höchstpreisen gehandelt.

Als der junge Pultgewaltige nach dem letzten Takt den Arm sinken läßt, dem Konzertmeister die Hand schüttelt und sich dem Publikum zuwendet, gibt es rauschenden Beifall. Inmitten der begeisterten Menschen, die ihm »standing ovations« bereiten, komme ich mir plötzlich vor, als sei das auch ein bißchen mein Erfolgserlebnis. Ich bin froh, daß ich diesen Muti gegen alle anfänglichen Widerstände durchgesetzt habe. Während er immer wieder auf das Podium gerufen wird, drücke ich mich an der Menge vorbei, suche unseren Kameramann, will wissen, ob ihm die eindrucksvollsten Szenen gelungen sind.

Später im Schneideraum sehe ich das Ganze in Überlänge und aus nächster Nähe. Wir können alle mehr als zufrieden sein. Die Berliner Passagen werden bei Erstellung der Endfassung an den Anfang und an das Ende des Films gesetzt. Den Hauptteil, nämlich Ravenna, haben wir zu diesem Zeitpunkt noch längst nicht im Kasten. Er soll im Frühjahr 1983 abgedreht werden.

Höhere Gewalten verhindern in letzter Minute den ursprünglich viel früher angesetzten Termin. Wegen eines Schneesturms in Philadelphia, der den Flugverkehr nach Europa total lahmlegt, muß der Dreh um fünf Wochen verschoben werden. Der Maestro sitzt drüben fest. Freundlicherweise ruft er sogar persönlich aus den USA bei mir zuhause an, um mir die Pleite schonend beizubringen. Auch wenn die Wetterverhältnisse seinen Flug nach Europa wieder möglich machen, hat er jetzt aber keine Zeit für uns. Er muß unverzüglich nach Wien. An der Staatsoper ist die Premiere von *Rigoletto* angesetzt, Verdis Oper im Urtext. Aber gleich nach der Premiere soll ein Termin für Ravenna gefunden werden. Es wird der Gründonnerstag 1983 sein, also wieder die Karwoche.

Das Team und ich treffen am Mittwoch in Ravenna ein. Diesmal per Flug nach Venedig und von dort mit dem Mietwagen in das entlegene Domizil der Mutis.
Es ist kühl, das Wetter trübe. Wir beziehen Quartier in einem zentral gelegenen Hotel. Wie ich aus dem Hause Muti erfahre, wird der Maestro erst für den Mittwochabend aus Wien zurückerwartet. »Wieder eine enge Kiste«, orakeln die Teamkollegen, und auch mir ist in Anbetracht des Zeitdrucks nicht ganz wohl. Ich flüchte mich zum Friseur, das Team fängt die Atmosphäre der Stadt ein, so vergeht die Zeit.
Drehbeginn ist für zehn Uhr morgens festgesetzt. Um pünktlich zu sein und weil ich ziemlich sicher bin, daß ich die Straße nicht mehr finde, haben wir einen stadtkundigen Taxifahrer angeheuert, der als Cicerone fungiert. Punkt zehn stehen wir vor dem Haus, klingeln, der Maestro öffnet selbst.
Regisseur, Kameramann und Tontechniker sind sich mit ihm sehr schnell einig, wo was gedreht werden soll. Nach kurzer Ortsbegehung – wir dürfen im Studio

filmen, natürlich mit Einbeziehung der Marionettensammlung, vielleicht noch ein bißchen draußen – erklärt Muti, daß wir bitte bis spätestens Mittag fertig
sein sollten. »Na, dann wollen wir das mal einer Gestaltung entgegenführen«, meint unser Regisseur, und wir
wissen, daß er das für uns schon geflügelte Wort immer
dann parat hat, wenn es anfängt kritisch zu werden.

Bis die Technik installiert ist, vergeht eine Weile. Muti
hilft fachkundig mit, die Steckdosen auszuwählen. Kameras und Scheinwerfer sind für ihn nichts Besonderes.

Für den Fragenkomplex, den ich mit ihm abhandle,
suchen wir gemeinsam die optimale Sitzmöglichkeit.
Als er mich plötzlich lächelnd fragt: »Na, nervös?«,
antworte ich wahrheitsgemäß: »Es geht, ein bißchen.«
Da erscheint der jüngste Sproß der Familie auf der
Bildfläche, stellt sich mitten in den Kabelsalat und will
vom Papa wissen, was da vor sich geht. Ich nehme mich
der Sache an, frage ihn nach seinem Namen und Alter.
Er antwortet artig, dann will er wieder mitten unter uns
herumtoben. Plötzlich fällt mir ein, daß ich noch eine
Tüte mit Ostereiern in der Tasche habe. Ich will Domenico, so heißt der vierjährige junge Mann, von hier
weglotsen, schenke ihm die Süßigkeiten und verspre-
che ihm arglos, ihn nach München mitzunehmen, falls
er das will – aber natürlich nur unter der Voraussetzung, daß er jetzt wieder brav zum Spielen nach unten
geht. Er nickt und verschwindet wie der Blitz, ich sehe

ihn erst nach Stunden wieder. Muti überrascht, daß
sein Filius so prompt reagiert hat, meint lachend:
»Dann können wir ja jetzt getrost anfangen.«
Gesagt, getan. Vorher allerdings hat der Maestro kurz
rückgefragt, ob er mit Krawatte und Sportpullover richtig gedressed sei, was mit Beifall bestätigt wird.
Um mich warmzureden, beginne ich damit, ihn über
die mir schon bekannten Dinge zu befragen. Muti,
ganz locker und ohne sich von der laufenden Kamera
im geringsten unter Druck setzen zu lassen, erzählt die
Geschichte vom Haus, einschließlich Olivenbaum, betont auch hier wieder die große Bedeutung, die seine
Frau und die Familie, das ganze Umfeld, für ihn
haben. Ausführlich geht er auf die Marionettensammlung ein. Und noch ehe wir auf seine Studienzeit und
das Thema Toscanini zu sprechen kommen, springt er
auf, geht an seine Bibliothek und legt einige Partituren
auf den Flügel. Dann dreht er sich um, zeigt auf ein an
der Wand hängendes, gerahmtes Autograph, summt
ein paar Takte aus dem *Fliegenden Holländer*, sagt:
»Das ist eine eigenhändige Skizze Wagners, während
er das Werk komponierte.« Muti spricht wieder davon,
daß er die Absicht hat, diese Oper bald zu machen und
gerade daran arbeitet. Auf meine Frage, wo die Aufführung stattfinden wird, kommt seine sphinxhafte
Antwort: »Mein Geheimnis.«
Der Maestro ist im übrigen nicht kleinlich im Hinblick
darauf, was »action« für den Film bringen soll. Uner-

müdlich steigt er auf seine Bücherleiter und holt die schwersten Partituren aus dem Regal. So stapeln sie sich mittlerweile – von Verdi über Gluck und Mozart bis hin zu Beethoven. Beiläufig meint er, daß speziell Gluck nicht häufig genug aufgeführt werde, und betont: »Er ist ein sehr, sehr großer Komponist.«

Als ich feststelle, daß Toscanini besonders für die Italiener wohl der bedeutendste Dirigent sei, und wie man wisse, auch für ihn, erklärt er: »Toscanini ist wichtig für uns, weil er in diesem Jahrhundert einen enormen Umbruch vollzogen hat. Er war es, der den großen Wandel einleitete, eine große Revolution inszenierte. Er eliminierte alle schlechten Angewohnheiten, die sich in der sogenannten italienischen Tradition festgesetzt hatten. Nie hat er das Werk des Komponisten vergewaltigt, sich ihm immer untergeordnet. Er war es auch, der den berühmten Ausspruch über die Tradition so formulierte: ›Tradition ist die schlechte Erinnerung an die letzte schlechte Aufführung.‹«

Muti wird noch deutlicher, glaubt, daß es besonders an den deutschen und österreichischen Opernhäusern festzustellen sei, welchen Schaden die italienische Oper durch Sänger und Routinedirigenten der zweiten Garnitur genommen hat. Durch ihre Interpretation wurden die Werke oft auf ein unwürdiges Niveau gedrückt. Mit Nachdruck erklärt er: »Toscanini machte Verdi endlich zu dem, was er wirklich ist.«

Was ihn selbst betrifft, so verfährt er mit dem italienischen Repertoire seit Jahren gleichermaßen: So geschehen in Florenz, in der Scala, in Covent Garden; in Wien habe er es gerade mit *Rigoletto* versucht.

Ob es eine Art geistige Blutsverwandtschaft zwischen ihm und Toscanini gebe? frage ich. Muti winkt ab, meint, das seien Spekulationen, von denen er zwar immer mal höre, die durch nichts zu beweisen seien. Genauer gesagt, er glaubt es nicht. Wenn es eine verwandte Komponente gäbe, dann wäre sie in der

Sonntag, 13. März 1983   *Staatsoper*
Bei aufgehobenem Abonnement
Sehr beschränkter Kartenverkauf
Preise F

PREMIERE

In italienischer Sprache

Rigoletto

Musik	Giuseppe Verdi
Melodrama in drei Akten von (nach Victor Hugos Schauspiel „Le Roi s'amuse")	Francesco Maria Piave
In der Edition von	Martin Chusid
Musikalische Leitung	Riccardo Muti
Inszenierung	Sandro Sequi
Bühnenbild	Pantelis Dessyllas
Kostüme	Giuseppe Crisolini Malatesta
Der Herzog von Mantua	Franco Bonisolli
Rigoletto, sein Hofnarr	Renato Bruson
Gilda, dessen Tochter	Edita Gruberova
Sparafucile, ein Bravo	John-Paul Bogart
Maddalena, dessen Schwester	Rohangiz Yachmi
Giovanna, Gildas Gesellschafterin	Waltraud Winsauer
Der Graf von Monterone	Peter Wimberger
Marullo, ein Kavalier	Charles Naylor
Borsa, ein Höfling	Helmut Wildhaber
Der Graf von Ceprano	Hans Christian
Die Gräfin von Ceprano	Graciela de Gyldenfeldt
Ein Huissier	Alexander Maly-Rauscher
Ein Page der Herzogin	Gabriele Sima
Herren und Damen vom Hofe, Pagen, Hellebardiere	
	Eleven der Ballettschule der Österreichischen Bundestheater

Die Handlung spielt in der Stadt Mantua und deren Umgebung zu Anfang des 16. Jahrhunderts

Besetzungszettel der Premiere »Rigoletto« von Giuseppe Verdi an der Wiener Staatsoper, 1983

Kultur Italiens verwurzelt, in ihrer beider Mentalität. Er selbst habe Toscanini nicht persönlich gekannt, habe ihn nie dirigieren gesehen, nur seine Schallplatten gehört – er war ja erst sechzehn Jahre alt, als Toscanini starb. Richtig sei, daß er 1967 den ersten Preis im Guido-Cantelli-Dirigierwettbewerb gewonnen hat. Guido Cantelli war Schüler Toscaninis. Als Cantelli 1956 bei einem Flugzeugunglück ums Leben kam, war Muti fünfzehn Jahre alt – so ist er auch Cantelli nie begegnet. Wenn also, was manchmal passiere, ein Bogen von Toscanini über Cantelli zu ihm gespannt werde, so könne das allenfalls über die Musik in Zusammenhang gebracht werden. Auch die Ableitung einer geistigen Verwandtschaft zwischen Cantelli und Muti ließe sich höchstens insofern begründen, als Cantelli 1951 das Philharmonia Orchestra London übernahm, bei dem Muti 1972 die Nachfolge Klemperers antrat.

Muti streift die Zeit, als er am Mailänder Konservatorium studierte, erwähnt lachend, daß er sich ein Zimmer mit einem Sänger teilen mußte, weil das Geld knapp war. Damals hat er sich als Kompositionsschüler stark mit der Renaissance-Musik beschäftigt. Bis zum Barock, also von Monteverdi bis Bach. Monteverdis »Sonata sopra Sancta Maria« hatte er ursprünglich nur als Übungsstück für sich selbst orchestriert, aber die Bearbeitung war so gut gelungen, daß sie unter Giulio Bertolo, einem der besten Chorleiter Italiens, in der

Piccolo Scala von Mailand aufgeführt wurde. Abgesehen von Monteverdi und Bach gehört seine besondere Liebe Vivaldi und Cherubini. Letzterer ist, seiner Meinung nach zu Unrecht, heute fast vergessen. Beethoven war es noch, der Cherubini als einem der ganz Großen seiner Zeit huldigte. Nach Mutis Ansicht sind wir Heutigen überhaupt zu sehr auf gängige Namen fixiert, egal, ob sie Wagner, Verdi oder Mozart heißen. Und nur wenige Dirigenten haben den Mut, Neues zu entdecken.

Wenn er an seine Anfänge zurückdenkt, so sind sie für ihn unverbrüchlich mit einem Namen verknüpft: Nino Rota. Er lehrte am Konservatorium in Bari, dort, wo Muti seine musikalische Ausbildung begonnen hat. Rota war es, der dem jungen Schüler den Einstieg in die Musik überhaupt erst ermöglichte. Von ihm hat er gelernt, was es heißt, ernsthaft zu arbeiten. Rota war es auch, der seine Begabung fürs Klavier und die Geige entdeckte. Siebzehnjährig schickte er ihn nach Neapel zu Vincenzo Vitale, einem Klavierlehrer, durch dessen Hände alle großen italienischen Pianisten gegangen sind. Vitale war der Meinung, daß Muti das Zeug zu einem guten Pianisten habe. Warum er diesen Weg dann nicht eingeschlagen hat, gehört zu den sogenannten Wundern, an die Riccardo Muti bekanntlich nicht glaubt.

Antonio Votto, ein anderer hochverehrter Lehrer von Riccardo Muti am Mailänder Konservatorium, der von

1921 bis 1929 als Assistent Toscaninis an der Scala wirkte, gab ihm und den anderen Studenten Wichtiges mit auf den Weg. Alle seine Erfahrungen und Kenntnisse, die er durch Toscanini vermittelt bekommen hatte, sollten auch höchster Maßstab für seine Studenten sein. Er lehrte sie, der Musik mit größtem moralischem Anspruch zu begegnen. Von ihm lernte Muti, daß der Toscanini jener Zeit ein völlig anderer war als der, den wir durch die Schallplatte kennen. In seinen letzten Lebensjahren neigte er beispielsweise zu extremen Tempi, weswegen er häufig arg kritisiert wurde. Aber über alles stellte er den Respekt vor dem Werk. Das sei die Lektion, die er – so meint Muti – allen Dirigenten hinterlassen hat, nicht nur den italienischen. Daß auch er nach diesem Credo handelt, wird, da bekannt, nur noch einmal kurz gestreift.

Die Frage, ob er sich eines Tages auch als Lehrer sehen könne, bejaht er mit Einschränkungen. Seine Erfahrungen könne er zwar ganz gut weitergeben, aber momentan mangele es ihm an Zeit. Und er erinnert wieder an Antonio Votto, der seinen Studenten immer gerne – dem Sinne nach – gepredigt habe: »Bevor man nicht selbst vor ein Orchester getreten ist und sein Canossa erlebt hat, kann man nichts lehren.« Muti gibt ohne Umschweife zu, daß auch er nicht an seinen »Bruchlandungen« vorbeigekommen sei.

Wieder kommt er auf Robert Schumann zurück, der vom Dirigenten ebenfalls strikten Gehorsam gegenüber dem Notentext des Komponisten verlangt habe. Und er erinnert daran, daß Schumann seinerzeit entschieden gegen eine Aufführung des *Barbiere* protestierte, in der die Sängerin der Rosina mit ihren Eigenmächtigkeiten die Gesangslinie Rossinis und damit das ganze Werk mehr oder weniger zerstört habe.

Wir machen kurz Pause. Einschließlich des Maestro haben wir uns alle auch körperlich ziemlich verausgabt, schwere Bücher geschleppt, Möbel gerückt und die unerbittlich grellen Scheinwerfer ertragen. Als wir nach ein paar Minuten zum vorläufigen Endspurt ansetzen, kommt Muti noch einmal auf den Anfang seines Musikstudiums zurück.

Seine Eltern waren es, die ihn zwar dazu ermutigt hatten, aber mit allen Vorbehalten. Sie wußten nur zu genau, daß es kein leichtes Unterfangen ist, ein guter Musiker zu werden, und daß der Erfolg nur über einen steinigen Weg zu erreichen sein würde. »Aber schließlich haben sie sich nach und nach damit abgefunden, nicht zuletzt, weil in meiner Familie die Musik immer eine große Rolle gespielt hat.«

Später erst habe ich in Mutis Vita den Hinweis gefunden, daß sein Großvater Verdis *Attila* auswendig gekonnt haben soll, und auch sein Vater, der als hochmusikalisch galt, als Tenor in einem Amateurensemble mitwirkte. Mir gegenüber hat Muti das nie erwähnt, auch nicht jetzt, wo es eigentlich angebracht gewesen wäre. Denn auf die Feststellung, daß seine Eltern am

Ende doch sehr glücklich mit seiner Berufsentschei-
dung waren und seine Karriere schließlich als etwas
ganz Normales betrachteten, will er nicht verzichten.
Kurz führt er aus, daß man bei ihm zuhause strenge
Maßstäbe angelegt habe. Er erklärt es damit, daß jener
Teil Süditaliens, aus dem seine Familie stammt, lange
unter griechischem Einfluß stand. »Das liegt zwar
schon mehr als zweitausend Jahre zurück, aber es ist bis
heute noch immer zu spüren.«
Muti schaut jetzt auf die Uhr. Drei Stunden Drehzeit
haben wir bereits hinter uns. Quasi zum krönenden
Abschluß soll das vielzitierte Thema Werktreue noch
einmal, sozusagen für die Ewigkeit, festgehalten werden. Der Maestro, dem nichts lieber ist als das, legt
gleich los: »Es ist immer ein Risiko, werktreu zu sein,
sich an das Original zu halten. Es ist viel bequemer und
man hat mehr Erfolg, wenn man die traditionelle, die
bekannte Interpretation aufführt. Denn das Publikum
hat seine Verabredung mit bestimmten Stellen, auf die
es wartet.«
»Also besser werktreu, als den Erfolg um jeden Preis?«
frage ich.
Darauf Muti, der sich jetzt beinahe angriffslustig vor
mir aufgebaut hat: »Ja, natürlich. Bis jetzt bin ich auch
immer gut angekommen, war jedesmal erfolgreich. Ich
nehme keine Rücksicht auf die Leute, die immer das
Gewohnte erwarten. Sie sind Idioten, denn für sie ist
jede Änderung eine Tragödie, sogar die Änderung hin

16/17 Bayerische Staatsoper, München 1985:
»Macbeth« von Verdi. Besprechung mit (v. l. n. r.)
Regisseur Roberto De Simone, den Sängern
Elizabeth Connell und Renato Bruson (oben), der
Maestro in suggestiver Dirigierhaltung (Mitte) …

18 … und Bankettszene des zweiten Aktes mit
Renato Bruson als Macbeth und Elizabeth
Connell als Lady

◁ *Gegenüberliegende Seite*

19 Noch einmal »Macbeth« in München: Renato Bruson als Macbeth und Elizabeth Connell als Lady im Bühnenraum von Giacomo Manzù. – »Wie vom Blitz getroffen reagierte das Publikum auf die enorme musikalische Qualität, mit der Riccardo Muti einen großen Verdi unerbittlich wahrmachte. Die Bayerische Staatsoper wurde zur Scala im Quadrat: italienischer, richtiger kann Verdi nicht musiziert werden«, schrieb Beate Kayser am 1. April 1985 in der »tz«.

20 Rechts: Ein glücklicher Riccardo Muti, den Erfolg in der Tasche, ca. 1991

21 Eine besondere Begegnung in Rom: Bei Papst Johannes Paul II. nach der Aufführung von Luigi Cherubinis Krönungsmesse im Paul VI.-Saal des Vatikans, November 1986

22 Der Maestro und »sein«
Haus. Der musikalische
Direktor des Teatro alla
Scala di Milano ...

23 ... und Blick in den
Zuschauerraum

zum Original. Sie wollen schlafen, sie sind bereits tot.«
Die Feststellung hat gesessen.

Er dreht sich ruckartig um. Auch die Filmrolle ist zu
Ende. »Zufrieden, Schluß jetzt?« fragt er höflich, aber
bestimmt.

Gewisse Betretenheit auf unserer Seite, wir brauchen
noch dringend etwas Familienidylle. Ob wir vielleicht
ausnahmsweise noch das Mittagessen mitfilmen dürfen?

Muti, auf dieses Ansinnen nicht vorbereitet, will die
Entscheidung von seiner Frau abhängig machen.

Wir haben Glück: Cristina Muti stimmt sofort zu,
improvisiert mit dem Hausmädchen rasch einen besonders schön gedeckten Tisch. »Daß wir das noch
erleben dürfen«, meint unser frohlockender Regisseur,
der mit dem zweitbesten seiner Standardslogans den
Nagel wieder auf den Kopf trifft.

Als kurz darauf die beiden älteren Kinder Francesco
und Chiara aus der Schule kommen, können wir star-
ten. Mein Tischherr ist Domenico. Er zeigt sich von der
Kamera völlig unbeeindruckt, streckt nach Belieben
die Zunge heraus, ißt auf Weisung des Vaters auch mal
ein paar Spaghetti. Im übrigen aber erklärt er, nicht
mehr hungrig zu sein. Er hat bereits ausgiebig gespeist
– die zehn Schokoladeneier, die ich ihm morgens geschenkt habe.

Die Atmosphäre bei Tisch ist heiter. Ich diskutiere mit
den Mutis unter anderem die unterschiedlichen Es-

sensgewohnheiten in unseren beiden Ländern, denn es wird Rotwein serviert. Weil das bei uns im allgemeinen zu Mittag eher unüblich ist, mich beispielsweise sofort in Tiefschlaf versetzen würde, weiche ich, von allen bemitleidet, auf Wasser aus. Muti dazu humorvoll, daß er ein deutsches Bier zwar auch nicht verachte, aber es hätte zu dieser Tageszeit auf ihn die gleiche Wirkung wie der Vino rosso auf mich.

Als die Tafel aufgehoben ist, gibt es noch mal eine Verlängerung: die Totale in den schönen Wohnraum. Dort hat sich inzwischen die ganze Familie versammelt. Auch Cristina Muti – für die der Tag nun schon gelaufen ist, wie sie gutgelaunt kommentiert – erklärt sich gerne bereit, ein paar Fragen zu beantworten.

Der Gatte, der sich entspannt auf der Couch niedergelassen hat, seine beiden Großen im Arm, ist jetzt interessierter Zuhörer. Nur Domenico, das Nesthäkchen, läßt sich nicht bändigen. Er kriecht unterm Tisch herum, zwickt mich mal ins rechte, mal ins linke Bein, macht Faxen in Richtung Kamera.

Trotzdem kommt ein kurzes Gespräch zwischen Frau Muti und mir zustande. Ich frage sie, wie es denn sei, mit einem so berühmten Mann verheiratet zu sein, dazu noch drei Kinder und ein Haus versorgen zu müssen.

Liebenswürdig und für mich überzeugend antwortet sie, daß das zwar manchmal in der Tat ein anstrengendes und engagiertes Leben sei, das sie da führe. Aber

gut organisiert, sei alles zu schaffen. Sie hat es sich demokratisch eingeteilt: fünfzig Prozent sind für ihren Mann reserviert, fünfzig Prozent für die Kinder. Und dann gibt es glücklicherweise noch die Zeit, in der nach Möglichkeit alle zusammen sind. Zum Beispiel an Weihnachten oder während der großen Ferien im Sommer. Da zieht die Karawane dann oft geschlossen mit Sack und Pack nach Salzburg. So oft wie möglich versucht Cristina Muti im übrigen ihren Mann auf Reisen zu begleiten, um so Anteil an seinem Beruf zu nehmen. Das fällt ihr deswegen leicht, weil sie gleichfalls begeisterte Musikerin ist. Zuhause ist sie dann wieder die Mutter der Kinder und sieht nach dem Rechten, so gut es eben geht. »Da muß man die Dinge manchmal nehmen, wie sie sind«, meint sie, »denn man reist ab, kommt zurück und findet oft nicht die Zeit, alles so perfekt zu haben, wie man es gerne hätte.« Auch die Tatsache, daß die Kinder häufig ohne Vater auskommen müssen, sieht sie gelassen. »Sie sind unbeschwert und fröhlich. Das führe ich besonders auf diese Stadt zurück, wo viele Verwandte und Freunde wohnen. So wachsen die Kinder nicht in einer kleinen, sondern in einer sehr großen Familie auf. Da kann schon mal der eine oder andere fehlen. Aber im Prinzip ist immer jemand da.«
Schließlich sagt Cristina Muti noch etwas über ihr Gesangsstudium. Sie bestätigt, daß sie es deswegen aufgegeben habe, weil sie noch ganz am Anfang stand,

als ihr Mann bereits einen Namen hatte. »Der Bessere sollte nach meiner Meinung gewinnen«, meint sie und strahlt zufrieden in die Runde.

»Eine glückliche Familie also«, kommentiere ich die Situation.

Sie darauf charmant: »Ja sehr, aber doch auch ein bißchen verrückt.«

Da schaltet sich der Maestro ein: »Daß wir eine glückliche Familie sind, und ich würde sagen, auch eine ziemlich verspielte, können Sie jetzt sehen. Wir sind eine Familie, die ans Spielen gewöhnt ist, sozusagen eine Familie von Puppenspielern. Auch den Kontakt mit dem großen Publikum, wie zum Beispiel jetzt durch das Fernsehen, nehmen wir auf die leichte Schulter. Unser Domenico ist das beste Beispiel. Er ist der geborene Pulcinella, der Hansdampf in allen Gassen.«

Das Wort des Vaters in Gottes Ohr. Der letzte große Auftritt steht noch aus.

Ob die Sitzung nun beendet sei? Die verbindliche, aber unmißverständliche Frage kommt vom Hausherrn.

Wir bejahen, bedanken uns sehr für die großzügigen Zugaben, versichern guten Gewissens, daß alles und noch mehr im Kasten sei.

Rasch geht es ans Einpacken. Muti hat es wie immer eilig. Auch wir wollen jetzt so schnell wie möglich das Haus verlassen, denn wir haben ihn und die Familie schon über Gebühr in Anspruch genommen. Kurze

Diskussion noch darüber, wann der Film gesendet wird. Ein paar Daten schwirren hin und her, ich schlüpfe in meinen Mantel. Sprachengewirr, Verabschiedung – dann ist der Maestro entschwunden.

Da steht plötzlich Domenico neben mir. In seiner linken Hand hält er ein Köfferchen – wie er mir bald stolz vorführt, ist nur seine Zahnbürste darin. Mit der Rechten zerrt er mich am Ärmel, sagt im schönsten Schnellschußitalienisch: »Jetzt fahren wir nach München!« Als ich verblüfft abwehre, bleibt er hartnäckig. »Nein, ich will mit, du hast schon deinen Mantel an, du fährst jetzt nach München und hast mir versprochen, mich mitzunehmen.« Mit Schrecken fällt mir die so leicht dahingesagte Zusage vom Vormittag ein.

Als ich zögere, beginnt ein Gezeter. Kurzentschlossen gehe ich auf Empfehlung der Mama mit dem jungen Reisewütigen durch den Garten zum Tor. Auf dem Weg dahin versuche ich, ihm sein Vorhaben auszureden. Er lehnt strikt ab, besteht auf Einhaltung meines Versprechens. Um Zeit zu gewinnen, gehe ich mit ihm ins Haus zurück, dann wieder ans Tor. Die Prozedur wiederholen wir dreimal. Inzwischen hat es zu regnen begonnen. Ich bin nicht nur von oben naß, sondern allmählich bricht mir auch der Schweiß aus. Mir schwant nichts Gutes.

Wieder einmal im Hausflur angekommen, sehe ich mich einer ratlosen Familie Muti gegenüber und einem gerade die Treppen heruntereilenden Maestro, der die Situation sofort erfaßt. Gemeinsam versuchen wir, dem Vierjährigen mit Engelszungen klarzumachen, daß er ja nicht nur Eltern und Geschwister, sondern alle seine Spielsachen zurücklassen müsse, ihn in München außerdem keiner verstehe, weil man dort ja deutsch spricht. Domenico Muti rührt das nicht. Er krallt sich nur noch fester an mich und lamentiert weiter. Er will mit, sagt er und stampft mit dem Fuß auf, zum Zeichen dafür, daß er es ernst meint. Auch die beruhigenden Worte des Vaters fruchten nichts. Die Situation spitzt sich zu, das Kind quengelt lauter, die Mutter versucht mit letzter Überzeugungskraft einen Sinneswandel herbeizuführen, der Vater runzelt nur die Stirn. Mit holprigen Entschuldigungen versuche ich mich den Eltern gegenüber aus der Affäre zu ziehen, da greift der Maestro schließlich energisch durch, macht dem Spuk ein Ende. »Wir fahren. Welches Hotel bitte, wo steht das Auto?« fragt er deutlich gereizt und schiebt mich, Frau und Sohn unter Hinterlassung zweier unglücklich dreinschauender, dem Weinen naher Geschwister, aus dem Haus in die Garage.

Der neue Kleinwagen von Cristina Muti muß für die ungewöhnliche Fuhre herhalten. Sie sitzt hinten, neben ihr der Knabe, ich vorne neben dem Maestro, der sichtlich nervös mit dem Zündschlüssel hantiert. Ich möchte am liebsten im Erdboden verschwinden, aber da tut sich keine Spalte auf.

Wir fahren los. An der ersten Ecke schon säuft der

Motor ab, Muti bleibt Herr der Lage, behält Contenance, obwohl ihm das Fluchen wohl mehr auf der Zunge liegt als alles andere. Auch Domenico ist etwas stiller geworden, er scheint zu ahnen, daß ein Donnerwetter heraufzieht. In rasanter Fahrt geht es zu unserem Hotel. Ich bewundere Cristina Muti, die schweigend lächelt, als ich mich mal verstohlen umdrehe. Riccardo Mutis Gesicht ist eher versteinert. Und mir ist ausgesprochen schlecht.

Vor dem Hotel totales Halteverbot! Muti stört sich nicht daran, hält direkt vor der Tür, zwischen den Schildern. Dann springt er mit einem Satz aus dem Wagen, spurtet herum, läßt mich aussteigen. Als Domenico in diesem Moment wieder nervtötend zu schreien beginnt, spielt der Vater den letzten Akt der Familienoper noch mit. Dann aber schneller, dramatischer Schluß. Der Maestro verabschiedet mich knapp und sehr höflich, startet mit Frau und Kind durch. Fluchtakt beendet, Vorhang!

Als ich im Hotelfoyer ankomme, knieweich und schweißgebadet, lächelt mich der Portier freundlich an. Er hat die Szene von drinnen beobachtet, fragt mitleidig: »Ist Ihnen nicht wohl, Signora? Sie sehen blaß aus. Möchten Sie einen Grappa oder einen Espresso?«

»Beides, aber bitte gleich und auf mein Zimmer.« Und mit einem letzten Anflug von Galgenhumor: »Vielleicht brauche ich auch bald noch einen Sanitäter!«

Oben angekommen falle ich wie tot auf das Bett. Ich fühle mich sanatoriumsreif. Domenico Muti hatte mich geschafft. Ihm war gelungen, was die hartgesottensten Interviewpartner nicht fertiggebracht hatten.

Und die Moral von der Geschichte: Niemals mehr habe ich seitdem noch so nette Kinder mit Schokolade und wie auch immer gearteten Versprechungen zu ködern versucht.

Im Spätherbst des Jahres 1983 wird der Film ausgestrahlt. Erst Monate danach höre ich von Riccardo Muti, daß er mit dem Ergebnis zufrieden war. Gleich nach der Sendung hatten ihm verschiedene Musiker aus Deutschland und Österreich Positives berichtet. Mir fiel ein Stein vom Herzen.

München/Mailand/Berlin
1985/86

In den folgenden zwei Jahren sehe ich den im deutschen Sprachraum immer bekannter werdenden Maestro nur noch eher zufällig. So erinnere ich mich unter anderen an eine Begegnung im Münchner Hotel »Vier Jahreszeiten«. Er hatte im Münchner Nationaltheater seine erstmals in Neapel vorgestellte neue Interpretation von Verdis *Macbeth* herausgebracht. Als wir uns treffen, bekennt er, daß die Oper ihm persönlich sehr viel bedeute. 1974 dirigierte er sie zum erstenmal in Florenz, dort, wo sie 1847 ihre Uraufführung erlebte. Später folgten Schallplattenaufnahmen und verschiedene Bühnenproduktionen, wie zum Beispiel in Covent Garden, London. Die konzertante Aufführung von *Macbeth* in den USA wurde zu einem besonderen Ereignis. Das Publikum, das von Verdi-Aufführungen sonst eher gelangweilt war, betrachtete das Experiment *Macbeth* mit dem Philadelphia Orchestra als musikalische Sensation. Das gleiche ereignete sich anläßlich der in ganz Italien Aufsehen erregenden Inszenierung im Teatro San Carlo, Neapel. Sandro Sequi führte Regie, das Bühnenbild und die Kostüme hatte der Maler und Bildhauer Giacomo Manzù entworfen. Der

BAYERISCHE STAATSOPER

NATIONALTHEATER MÜNCHEN

Staatsoperndirektor Wolfgang Sawallisch

Samstag, 30. März 1985

Neuinszenierung

Macbeth

Oper in vier Akten von

Francesco Maria Piave

Musik von

GIUSEPPE VERDI

In italienischer Sprache

Musikalische Leitung: Riccardo Muti

Inszenierung: Roberto De Simone

Bühnenbild und Kostüme: Giacomo Manzù

Chöre: Udo Mehrpohl

Besetzungszettel der Premiere »Macbeth« von Giuseppe Verdi an der
Bayerischen Staatsoper, München 1985

PERSONEN

Macbeth . . . . Renato Bruson

Banquo . . . . Jan-Hendrik Rootering

Lady Macbeth . . . . Elizabeth Connell

Kammerfrau der Lady Macbeth . . . . Diane Jennings

Macduff, schottischer Edler . . . . Veriano Luchetti

Malcolm, Sohn Duncans,
       des Königs von Schottland . . . . Ulrich Reß

Ein Arzt . . . . Gerhard Auer

Ein Diener Macbeths . . . . Hermann Sapell

Ein Mörder . . . . Hans Wilbrink

               . . . . Hermann Sapell

Erscheinungen   . . . . Paniito Iconomou

               . . . . Christian Immler

Hexen, Boten des Königs, schottische Adelige, Mörder, Soldaten,
Luftgeister, Erscheinungen, schottische Flüchtlinge

Das Bayerische Staatsorchester · Der Chor der Bayerischen Staatsoper

Musikalische Einstudierung: Rita Loving/Klaus von Wildemann
Abendspielleitung: Ronald H. Adler
Szenische Mitarbeit: Enzo Venturini

Gestaltung der Kostüme: Silvia Strahammer

— Elemente des Bühnenbildes wurden vom Teatro San Carlo, Neapel, übernommen —

Inspektion: Nikolaus Ehlers und Gerhard Rothert	Technische Gesamtleitung: Helmut Großer
Souffleuse: Christiane Montulet	Atelier: Ulrich Franz/Bernhard Thor
Bühnenmusik: Hans Martin	Bühne: Günter Costa/Richard Stumpf
Tontechnik: Klaus-Dieter Schwarz	Beleuchtung: Wolfgang Frauendienst
	Leiter des Kostümwesens: Günter Berger
	Masken: Rudolf Herbert

Das Werk ist im Verlag G. Ricordi & Co. München, erschienen.

Anfang 19.00 Uhr	Kleine Pause nach dem 1. Akt Große Pause nach dem 2. Akt	Ende ca. 22.30 Uhr

interessanteste Teil, so Muti, war die Bühnenraumge-
staltung. Manzù interpretierte *Macbeth* optisch in einer
völlig neuen und fantastischen Weise. »Mein aktueller
Macbeth ist natürlich anders als der, den ich vor zehn
Jahren in Florenz gemacht habe. Nichtsdestoweniger
glaube ich noch an meine früheren Prinzipien.«

Ein anderes Mal laufen wir uns in Mailand über den
Weg. Jedesmal begrüßen wir uns aufs herzlichste, befragen uns nach dem gegenseitigen Befinden. Und
natürlich trage ich immer Grüße an Domenico auf. Nie
vergesse ich auch mit der Neuauflage eines Interviews
zu drohen. Irgendwann einmal.

Er nimmt es stets gut gelaunt, verspricht, sich bestimmt
nicht zu drücken, wenn es wieder einmal an dem sein
sollte. So setzt sich allmählich bei mir der Eindruck
fest, daß ich auf diesen Riccardo Muti zählen kann.

Richtig ernst wird es erst wieder im Jahre 1986. Muti ist
als Nachfolger von Claudio Abbado zum musikalischen Leiter der Mailänder Scala ernannt worden. Die
Opernfans der Welt schauen in den Vorweihnachtsta-
gen dieses zu Ende gehenden Jahres besonders gespannt nach Mailand. In dem ehrwürdigen Opernhaus
steht für den 7. Dezember nicht nur das jährliche gesellschaftliche Top-Spektakel, die Saisoneröffnung,
bevor. Nein, diesmal wird auch ein neuer Chef am Pult
stehen. Zu dem fünfundvierzigjährigen Senkrechtstar-
ter im internationalen Musikbetrieb und der von ihm
geleiteten Verdi-Premiere *Nabucco* wollen alle wall-

Besetzungszettel der Stagione-Eröffnungspremiere 1986: »Nabucco« von Giuseppe Verdi, Teatro alla Scala, Mailand

fahrten, die auf sich halten. Unter dem weltberühmten Dach werden sie sich versammeln, um ihrem neuen Superstar zu huldigen.

Riccardo Muti, schon Wochen vor dem Ereignis, von den einheimischen Gazetten als solcher hochgejubelt, am Premierentag von Beifallsstürmen schließlich überschüttet, sieht der Sache ein paar Tage vorher noch mehr als ruhig ins Auge. Durch die Hintertür quasi hatte er mich hereingelassen und damit meine Befürchtung Lügen gestraft, daß er meine Bitte nach einem kurzen Gespräch womöglich abschlagen könnte.

Der Weg zum Dirigentenzimmer führt – wie üblich – über diverse Sekretariate. Man ist höflich, weist mir beflissen die Richtung.

Als ich in dem Raum stehe, bin ich doch erstaunt. Denn hier fehlt es an jedwedem Prunk oder luxuriöser Ausstattung. Eine Couchgarnitur, ein Tisch, ein paar Sessel, zwei, drei Bilder an der Wand und irgendwo ein Telefon. Das ist alles.

Der Maestro probt noch, informiert mich eine Sekretärin und bittet Platz zu nehmen. Wir sind zu zweit. Meine Mailänder Freundin Bianca Bianchi begleitet mich mit der Schnellschußkamera. Für alle Fälle!

Ich überlege, wie es jetzt wohl laufen wird. Ob Riccardo Muti nun vielleicht zu jenem Typ Weltmann mit dem Touch Unnahbarkeit geworden ist – eine Kombination, die bekanntlich ihre Wirkung selten verfehlt und die

sich in solchen Positionen immer gut macht? Oder ob
er der liebenswürdige, wenn auch stets auf Distanz
bedachte Mensch geblieben ist, als den ich ihn seit
Jahren kenne? Mir ist klar: Gerade im Musikkarussell
verlangt jede Epoche von Zeit zu Zeit nach dem ihr
gemäßen Heldenbild. Riccardo Muti – ohne Zweifel –
ist jetzt einer dieser Helden. Einer zum Anfassen war er
nie. Diese Ehre gewährte er außer dem Staatspräsiden-
ten nur dem Papst, der den Eigenwilligen erst jüngst zu
sich in den Vatikan gerufen hatte und nach dem Konzert – Muti dirigierte Cherubinis Krönungsmesse –
auch begeistert in die Arme schloß.

Mitten in meine Gedanken, in denen ich mir die toll-
sten Kombinationen über die mögliche neue Beschaf-
fenheit des Riccardo Muti ausmale, stürzt er lachend
zur Türe herein und wirft alle meine Spekulationen
total über den Haufen. Muti, wie er leibt und lebt: Mit
Cordhose, Pulli und dem schon fast legendären aufre-
genden Langhaarcut, ist er nicht die Spur genormter,
unnahbarer Parademanager.

Entschuldigend weist er auf das noch bestehende Pro-
visorium seines Zimmers hin. In diesen Tagen, kurz vor
der Premiere, habe er noch weniger Zeit für Äußerlich-
keiten als gewöhnlich. Zeit wird überhaupt groß geschrieben: Er bittet um Verständnis, daß er dieses Mal
wirklich nur eine halbe Stunde zur Verfügung hat.

Auch die wird noch verkürzt. Muti muß seiner Sekretärin ein Schreiben diktieren. Aus Philadelphia hat er

gute Nachricht erhalten. Die schon lange im Gespräch befindliche neue Musikhalle kann nun endlich gebaut werden. 1991 will er sie mit Beethovens »Missa solemnis« einweihen. Nachdem er das kurz erläutert hat, faßt er eine knappe Danksagung an den Orchestervorstand in Philadelphia ab. Nach Ende des Diktats legt er den Telefonhörer auf. Strahlend verkündet er diesen hartumkämpften Erfolg mit den Worten: »Wir haben gewonnen!«, und dann erst komme ich dazu, ihm zu seiner neuen Position zu gratulieren.

Ich erinnere ihn daran, daß er, vor circa zwanzig Jahren noch Student hier in Mailand, nun eine der begehrtesten Positionen der Welt in ebendieser Stadt innehabe und frage, welche Gefühle ihn dabei bewegen.

»Das kann ich so nicht beantworten, denn Gefühle kann man nicht in Worten ausdrücken, jede Umschreibung fiele oberflächlich aus.« Ersatzweise zitiert Muti wieder seinen Lehrer Antonio Votto, der davon beseelt war, daß die Scala einen ganz bestimmten Zauber in sich birgt. Riccardo Muti empfindet es ebenso. Auch er kann vom Podium aus den Geist der berühmten Vorgänger spüren. Egal, wie sie heißen, ob Strauss, Toscanini, Furtwängler, sie alle haben hier etwas von ihrer magischen Persönlichkeit hinterlassen. Von der Bühne, ja schier von jedem Sessel, weht ein Hauch mystischer Tradition zu ihm in den Orchestergraben. Und diese Tradition will auch er mit aller Kraft weitertragen und erhalten. Muti, plötzlich ganz Pragmatiker:

»Daß ich diese Position hier habe, ist zwar in gewissem Sinne die Krönung meines Dirigentendaseins. Aber es ist mir auch große Verpflichtung. Die Scala ist nicht irgendein Theater, wo man zwei oder drei Produktionen im Jahr abliefern kann. Hier kommt es darauf an, den Menschen, die mit hohen Erwartungen von überall hierher kommen, zu zeigen, was Musik, was Kultur ist. Die Scala ist *das* Opernhaus der Welt, von dem man die ganz große klassische italienische Oper erwartet. Aber das kann nicht genug sein. Man muß expandieren und auch auf zeitgenössisches Repertoire zurückgreifen.«

Muti beharrt strikt zum wiederholten Male darauf, daß Menschen, die diese Musik nicht akzeptieren und sich nur in die Oper oder in den Konzertsaal setzen, um sich Unterhaltung oder Entspannung zu verschaffen, hier nichts verloren haben. Musik ist nach seinem Verständnis weder Entspannung noch Unterhaltung, sondern in höchstem Maße Kunst und Kultur. Und Kultur bedeutet für ihn, daß man auch sein Gehirn in Gang setzen muß. Trotzdem will er sich keineswegs als intellektueller Moralprediger gerieren. Im Gegenteil. Es ist ihm nur stets ein großes Ärgernis, so führt er temperamentvoll aus, weltweit immer wieder mit den gleichen Banalitäten konfrontiert zu sein. So kommen die Leute nach den Aufführungen nicht zu ihm, um etwa über die gehörte Musik zu sprechen, sondern sich über sein Äußeres, besonders seine Haare auszulassen.

Einhellig amüsierte Reaktion auf unserer Seite jetzt,
denn erstmals bringt der Maestro selbst »Haariges« ins
Spiel. Unsere weiblichen Komplimente zu seiner viel-
beneideten Haarpracht überhört er geflissentlich,
meint, wieder ganz bei der Sache: »Schließlich habe
ich nicht nur hier in Mailand ein historisches Erbe zu
verwalten. Auch mein Orchester in Philadelphia, das
ich seit fünf Jahren leite und dem ich weitere fünf Jahre
vorstehen werde, verlangt den ganzen Einsatz.« Er
bezeichnet in diesem Zusammenhang sein Philadelphia Orchestra als eines der drei besten Orchester der
Welt und als das beste amerikanische im Augenblick.
Stolz? Wohl mit Recht. Denn Muti gehört nicht zu
denen, die übertreiben. Er ist sich seiner Verantwortung voll bewußt und handelt nach der Maxime: Erst
die Pflicht, dann die Kür.
»Ich halte zwei der bedeutendsten ›Musikorganisatio-
nen‹ der Welt in Händen, ich kann mich nicht mit
Entschuldigungen vor den großen Aufgaben davon-
machen. Kann nicht sagen, ich hätte es mit vergesse-
nen Provinztheatern zu tun. Was die Karriere betrifft,
habe ich alles erreicht. Aber in der Musik gibt es nie ein
Ende.«
Ob sich sein Leben jetzt entgegen aller Grundsätze
vielleicht doch ändern wird?
Muti verneint energisch. Sogar in Amerika, wo bekanntlich vieles von privaten Sponsoren gefördert, also
Entgegenkommen erwartet wird und beim Geld der

Pardon zumeist endet, hat man ihn nicht in die gesellschaftliche Zwangsjacke stecken können. Und auch in
Mailand wird er sich zu wehren wissen. Daß er seinen
Tribut in Maßen der Öffentlichkeit gegenüber entrich-
ten muß, weiß er. Das verlangt sein internationaler
Stellenwert. Aber als stolzer Süditaliener, als den er
sich ausdrücklich wieder bezeichnet, bestimmt immer
noch er, was geschieht und was nicht. »Die Leute
können von mir denken, was sie wollen, aber eines ist
sicher: Ich bin in der glücklichen Lage, nirgendwo
danke sagen zu müssen. Als man mich nach Philadelphia berufen hat, waren es wieder die Musiker, die
mich haben wollten; auch hier in Mailand ist es ähnlich
gelaufen.« Und mit Entschiedenheit: »Ich habe keine
Zeit, darüber nachzudenken, was die anderen von mir
halten. Ich habe immer ein einfaches Leben geführt.
Zusammenfassend möchte ich es so formulieren: Alles,
was ich heute bin, habe ich vor allem auch meinen
fantastischen Lehrern und nicht zuletzt diesem Land
Italien zu verdanken. Hier wurden mir die besten Aus-
bildungschancen geboten. Meine Lehrer haben mich
so vorbereitet, daß ich mein Wissen an die Musiker
weitergeben kann.«
Noch einmal betont Muti, daß es zu seinem Lebens-
rhythmus gehöre, die Dinge auf sich zukommen zu
lassen. Die maximal drei Male, die er versucht habe,
etwas von sich aus zu bewegen, seien ganz und gar
mißglückt. »Wenn ich etwas unbedingt wollte, habe

ich es garantiert nicht erreicht. Daraus habe ich die für mich gültige Konsequenz gezogen: Ich bin ein freier Mensch, wer mich will, muß mich nehmen, wie ich bin.«

Stagione-Vorschau 1986/87 des Teatro alla Scala, Mailand

Die Zeit drängt allmählich. Trotzdem verrät mir der Scala-Chef noch, was er für die Zukunft plant. Im Zeitraffer nennt er für das kommende Jahr Opern von Gluck, Verdi und Mozart. Für die Saisoneröffnung 1987 hat er *Don Giovanni* vorgesehen, für März 1988 schließlich den *Fliegenden Holländer*. Obwohl ihn im Augenblick verständlicherweise Verdis *Nabucco* sehr viel mehr beschäftigt, räumt er dem anstehenden Wagner-Ereignis doch eine besondere Bedeutung in seiner Karriere ein. Ohne Zögern gibt er zu: »Ein bißchen Unruhe befällt mich schon, wenn ich daran denke. Der letzte *Holländer* an der Scala liegt rund zwanzig Jahre zurück und wurde von Wolfgang Sawallisch dirigiert. Obwohl ich mich von dieser und anderen historischen Aufführungen nicht nervös machen lassen will, wird dieser Wagner für mich ein absoluter Höhepunkt sein. Mit konzertanten Wagneraufführungen habe ich durchaus Erfahrungen. Auch Erfolge. Zum Beispiel in Philadelphia. Aber als Ganzes wird es auch für mich eine Premiere.« Über Mutis Gesicht huscht für den Bruchteil einer Sekunde so etwas wie ein verklärtes Lächeln. Dann: »Diese Oper hat für mich einen unvergleichlichen Höhepunkt: die erste Begegnung zwischen Senta und dem Holländer.« Aber schon ist er wieder in der Gegenwart, denkt an seine Musiker und Sänger, die auf ihn warten. Er setzt zum Epilog an: »Falls es interessiert, warum ich mit dem selten gespielten *Nabucco* starte: *Nabucco* ist die Scala, *Nabucco* ist Mailand, *Nabucco* ist Italien.« Aber deswegen sehe er sich keineswegs als Chauvinist. Er habe die Auswahl mit großem Bedacht getroffen und damit auch eine Verantwortung übernommen. Immerhin handle es sich um seinen Einstand. Und erklärend fährt er fort, daß diese Oper des jungen Verdi von 1842 seit achtzehn Jahren nicht mehr auf dem Spielplan der Scala gestanden habe. Muti springt auf, bittet jetzt höflich um seine »Entlassung«. So schnell wie er kam, ist er wieder verschwunden, läßt uns in seinem Zimmer zurück. Wir gehen unmittelbar nach ihm.

Mailand verlasse ich, ohne eine der Proben erlebt zu haben. Muti hatte von Anfang an Publikum strikt ausgeschlossen. Und ernst, wie er die Dinge nimmt, sollte es nach seinem Willen auch keine Ausnahme geben. So lese ich erst Tage später in den Zeitungen von dem enormen Erfolg, den er mit *Nabucco* hatte. Auch von einer unerwarteten Sensation wird berichtet: Er ließ den berühmten Gefangenenchor – er ist den Italienern bekanntlich fast so heilig wie ihre Nationalhymne – wegen des frenetischen Beifalls, und ganz gegen das Reglement, wiederholen.

Ein Jahr später, im Oktober 1987, soll ich Muti für ein großes deutsches Magazin sprechen. Da der Vielbeschäftigte ständig zwischen Mailand, Philadelphia und dem Rest der Welt hin- und herfliegt, gibt es dieses Mal noch größere Schwierigkeiten als üblich.

Als Ort für ein Treffen bietet sich in letzter Minute wieder einmal Berlin an. Aber auch da läuft es nicht glatt. Muti, der in beiden Teilen der Stadt das Verdi-Requiem dirigiert, hat unerwartete Besetzungsprobleme mit den Sängern. Als diese mühsam gelöst sind, jagt eine Pressekonferenz die andere. Ich sitze drei Tage sozusagen auf Abruf im Hotelzimmer, sehe mich diesmal schon ohne Ergebnis abziehen. Da ruft der Maestro mich am Morgen meines geplanten Rückflugtages persönlich an, um mir einen letzten machbaren Termin innerhalb der nächsten halben Stunde zu nennen. Denn noch immer herrscht absoluter Zeitdruck: Ein Meeting, diesmal mit dem italienischen Fernsehen, ist von langer Hand angesetzt. Unser schließlich stattfindendes Treffen wird dadurch erleichtert, daß wir im selben Hotel wohnen und uns kurzfristig in der Lobby verabreden können.

Als wir unser Gespräch beginnen, kann ich nicht ahnen, daß der geplante Beitrag erst knapp ein Jahr später, nämlich im August 1988, erscheinen wird. Redaktionsinterne Umstellungen waren der Grund. Einiges ist zu dem Zeitpunkt dann bereits historisch. So die Saisoneröffnung an der Scala mit *Don Giovanni*. Wieder ein großer Erfolg. Im Oktober 1987 wurde diese Mozartoper zweihundert Jahre alt. Als ich die Vermutung ausspreche, daß dies der Grund sei, sie an der Scala aufzuführen, schüttelt Muti den Kopf. Dies habe ihn nicht ausdrücklich dazu bewogen, vielmehr die

Besetzungszettel der Stagione-Eröffnungspremiere 1987: »Don Giovanni« von Wolfgang Amadeus Mozart, Teatro alla Scala, Mailand

Tatsache, daß er es als dringend notwendig erachte, an der Scala nicht nur Opern aus dem italienischen Repertoire aufzuführen. *Don Giovanni* lag ihm ganz besonders am Herzen. Heiter ergänzt er, daß er Mozart sowieso für einen halben Italiener halte.

Meine Frage, nach welchen Gesichtspunkten er sein zukünftiges Repertoire zu gestalten beabsichtige, beantwortet er mit erhobenen Händen: »Schon das Opernrepertoire ist wie ein Ozean. Und auch wenn man als Dirigent sein ganzes Leben lang hart arbeitet, ist das, was man am Ende geschafft hat, wie ein Tropfen auf den heißen Stein.«

Wir streifen kurz das Thema der kommenden Sängergeneration. Muti sieht die Zukunft nicht pessimistisch, meint, daß vor allem aus Amerika mit Nachwuchs zu rechnen sei. Schwieriger werde es allerdings ganz allgemein, gute Sänger für Wagner- und Verdipartien heranzuziehen.

»Wann kommen Sie wieder einmal nach Ravenna? Wir haben unser Haus erweitert, es ist jetzt noch schöner geworden.«

Seine Frage trifft mich unvorbereitet, ich kann darauf keine Antwort geben. Auf meinem Zeitplan steht als nächstes wieder einmal New York. Vielleicht ist dann auch ein Abstecher nach Philadelphia möglich. Meine Frage, ob ich eventuell bei ihm vorbeischauen dürfe, falls mich der Weg tatsächlich dorthin führen sollte, beantwortet er positiv. »Gerne, wenn ich da bin, jederzeit. Ich wohne ganz in der Nähe der Musikhalle, bin quasi in zwei Minuten vom Bett am Pult. Also kein Problem, wenn Sie mein Sekretariat frühzeitig verständigen.«

Mich interessiert, wie er das erste Jahr als Scala-Chef »verkraftet« hat.

Muti, ganz sachlich: »Mit viel Arbeit und dem vordringlichen Wunsch, innerlich zu wachsen. Da spielt es keine Rolle, ob ein Haus verändert oder ob man persönlich noch erfolgreicher wird.«

Ob ihm trotz der musikalischen Doppelbelastung in zwei Kontinenten noch Zeit für seine privaten Vorlieben, seine Hobbys bleibe?«

»Wenn das nicht mehr möglich sein könnte, wäre das das absolute Ende.«

Und weil er jetzt zum Ende kommen muß, denn die Kollegen vom Fernsehen haben schon ihre Kameras in Stellung gebracht, übt der Maestro am Medienbetrieb im allgemeinen abschließend noch ungewöhnlich scharfe Kritik: »Egal, wo man hinschaut, ob in die Zeitung oder ins Fernsehen, überall wird hauptsächlich nur Negativismus verbreitet. Leider ist das ein Symptom unserer Zeit. Dabei gäbe es, trotz der zugegeben oft nicht rosigen allgemeinen Weltlage, noch viele positive Dinge zu berichten. Sie werden von außergewöhnlichen Menschen gemacht, die Gutes oder Schönes bewirken. Aber sie machen keine Schlagzeilen.«

Mutis letztes Statement zu diesem Thema: Er kann

Besetzungszettel der Premiere »Der fliegende Holländer« von Richard Wagner am Teatro alla Scala, Mailand 1988

und will nicht an einen dritten Weltkrieg glauben.
Denn das würde seiner Meinung nach in unserem
hochgerüsteten Zeitalter das Ende dieses Planeten bedeuten.

Mailand/Philadelphia/New York/Salzburg
1988–1992

Am 22. März 1988 findet die Premiere *Der fliegende Holländer* in der Scala statt. Als ich aus Anlaß dieses Ereignisses im Parkett des weltberühmten Opernhauses sitze und der Orchesterchef, vom Publikum heftig beklatscht, ans Pult eilt, denke ich an die vielen Bemerkungen zurück, die Riccardo Muti mir gegenüber immer wieder im Zusammenhang mit dieser romantischen Oper gemacht hat. Wie ein roter Faden zieht sich der *Holländer* durch die Gespräche unserer inzwischen siebenjährigen Bekanntschaft. Mein einziger Gedanke, als er den Taktstock zur Ouvertüre hebt: Wird es ihm gelingen, dem Werk so gerecht zu werden, wie er es sich selbst zum Ziel gesetzt hat. Wird auch das Publikum seine Interpretation annehmen?

Zum Glück bin ich kein Musikkritiker, muß nicht das Seziermesser parat halten, kann die Aufführung also mehr oder weniger unbefangen auf mich wirken lassen.

Als der Vorhang fällt, ist es fast Mitternacht, die Begeisterung des Publikums ekstatisch. Muti ist sein Wagner-Anfang gelungen.

Als ich ihn eine halbe Stunde später zum zweitenmal in seinem Dirigentenzimmer aufsuchen kann, um ihm zu gratulieren, sehe ich mich einem siegesgewissen, erleichterten Menschen gegenüber. Nur seine Frau und ein paar enge Freunde und Verwandte der Familie sind sozusagen Zeugen dieses historischen Augenblicks im Leben des neuen Scala-Chefs.

Am nächsten Tag lasse ich Kunst Kunst sein und stürze mich ohne Rücksicht auf Verluste in die Edel-Bouti-

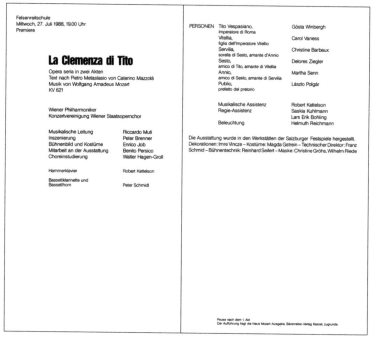

Besetzungszettel der Premiere »La clemenza di Tito« von Wolfgang Amadeus Mozart, Salzburger Festspiele 1988

quen der Via Napoleone: Ich brauche jetzt, koste es was
es wolle, endlich meinen ganz persönlichen Wagner-
Befreiungsschlag.

Bei den Salzburger Festspielen dieses Jahres 1988
dirigiert Riccardo Muti die Neuinszenierung von Mozarts *La clemenza di Tito*. Ich habe mich zu spät für den
Besuch entschlossen; nicht einmal mit besten Bezie-
hungen komme ich noch zu Karten. Auch der Maestro
kann nicht helfen, als ich ihn in seinem Salzburger
Sommerquartier anrufe und um Vermittlung bitte. Ich
streiche Salzburg, denn auch bei zwei anderen Aufführungen gehe ich leer aus. Einziger Lichtblick: Die
VOGUE mit meinem Artikel ist endlich, mit einem
Jahr Verspätung, auf dem Markt. Muti kann den Text
zwar nicht lesen, hat auch keine Zeit, ihn sich überset-
zen zu lassen, wie ich höre. Er bedankt sich auf gut
Glück.

Im Oktober fliege ich, wie geplant, nach New York und
Washington. Philadelphia habe ich vorläufig nur ge-
danklich im Reiseprogramm. Auf jeden Fall, so höre ich
von Mutis Sekretärin, wird er um diese Zeit auch in den
USA sein. Jim Jarmusch, der in Europa als Kultfigur
gehandelte Filmregisseur – in New York, wo er lebt, ist
er nur den Cineasten ein Begriff –, und Brooke Shields,
das schöne Filmkind und berühmte Model – sie hat zu
der Zeit leider mehr Flops als Erfolge auf der Rechnung –, werden diesmal meine Gesprächspartner sein.

Die Tage in New York verlaufen nach dem mir nicht unbekannten Muster: Die fest vereinbarten Termine mit den beiden Stars werden von Tag zu Tag geändert. Ich muß grundsätzlich umdisponieren.

So entscheide ich mich, die Zeitlücken mit dem längst beabsichtigten Besuch in Philadelphia zu füllen. Freunde hatten mir das Hotel »Comfort Inn Penn's Landing«, ein gut geführtes Haus am historischen Hafen, empfohlen. Von New York nehme ich den Metroliner, einen vielgeschätzten Luxuszug, der von der New Yorker Pennsylvania Station in etwa einein-halb Stunden nach Philadelphia fährt.

Philadelphia: Mit dem Namen verbindet sich für Ame-rika vor allem ein herausragendes geschichtliches Er-eignis. Hier steht das Gebäude, das den Amerikanern heilig ist, die Independance Hall. Hier wurde 1776 die Unabhängigkeitserklärung verfaßt. Auf meiner Sight-seeing-Tour werfe ich zusammen mit einer Gruppe laut parlierender, herumdrängelnder Japaner mit letz-ter Anstrengung auch noch einen Blick auf den Raum, in dem bis heute die Schreibfedern auf den Pulten liegen, mit denen das bedeutende Papier unterzeichnet wurde. Dann eile ich zur nächsten Reliquie, der Frei-heitsglocke. Damals, am 4. Juli 1776, läutete sie die amerikanische Unabhängigkeit ein. Heute steht sie in einem Glaspavillon und kann angeblich jederzeit her-ausgerollt werden, falls ein Feuer droht.

Die Tour durch die schöne, elegante Stadt, die angeb-

24/25 Mailänder Scala 1986: Im Dirigentenzimmer mit dem Maestro. Gespräch aus Anlaß der bevorstehenden Premiere von Verdis »Nabucco« – der neu ernannte musikalische Direktor des weltberühmten Opernhauses einmal ernst, einmal heiter

26 Salzburg, August 1987, Probe im Großen Festspielhaus: Der Maestro mit seinem Philadelphia Orchestra

27 Berliner Festtage,
16. Oktober 1987: Chef,
Solisten, Chor und Orche-
ster der Mailänder Scala
mit dem Verdi-Requiem
unter der Leitung von
Riccardo Muti im Ostber-
liner Schauspielhaus am
Gendarmenmarkt

28 Mailänder Scala,
22. März 1988: Nach
großem Beifall für seine
Wagner-Premiere »Der
fliegende Holländer« ein
gelöster Riccardo Muti
neben seiner Frau Cristina
(Mitte)...

29 ...und bei unserem
Gespräch. Er stärkt sich an
meinem üblichen Präsent:
deutsche Pralinen

30 Salzburger Festspiele 1989, Felsenreitschule: Mozarts »La clemenza di Tito« mit Gösta Winbergh in der Titelrolle ...

31 ... und 1990, Großes Festspielhaus: Mozarts »Don Giovanni«, wieder mit dem Team Muti/ Hampe/Pagano und (v.l.n.r.) Carol Vaness (Donna Elvira), Edita Gruberova (Donna Anna), Frank Lopardo (Don Ottavio), Samuel Ramey (Don Giovanni)

Nächste Seite ▷▷
32 So kennt ihn sein Publikum kaum – als ernste und nachdenkliche Persönlichkeit: der Dirigent Riccardo Muti

lich um die Jahrhundertwende zu den exklusivsten und snobistischsten der Vereinigten Staaten zählte und deren gesellschaftliches Treiben immer mit dem von Paris rivalisiert haben soll, unternehme ich in Gesellschaft eines Ehepaares aus Los Angeles. Wir lernen uns zufällig beim Frühstück kennen. Das Hotel, in dem wir wohnen, sorgt umsichtig für seine Gäste. Wer neu angereist ist, wird sogleich verplant. Entweder zu einer Nostalgie-Tour entlang dem Delaware-Fluß, oder zu einer Taxifahrt durch die Stadt (einzeln oder zu mehreren, je nach Wunsch und Geldbeutel). Ich habe beides gemacht und so einen bleibenden Eindruck von Philadelphia mitgenommen. Allerdings, einige wesentliche Dinge, die ich sonst womöglich nicht gesehen hätte, verdanke ich der Empfehlung Riccardo Mutis...

Noch ehe ich mich auf Besichtigungsfahrt begebe, statte ich ihm einen kurzen Besuch in der Academy of Music ab. Der neoklassizistische Bau macht auf mich einen imponierenden Eindruck. Als ich davorstehe, bedauere ich es fast, daß er durch einen Neubau ersetzt werden soll. Dann frage ich mich zu Mutis Büro durch.

Sein Dirigentenzimmer hier ist anders als die, die ich aus Europa kenne – klein, sehr fein und sehr funktionell. Erfreut begrüßt mich der Maestro, läßt aufmerksamerweise sofort die Espressomaschine anwerfen und mir die Karte für das abendliche Konzert überreichen. Die gleich beginnende Probe kann ich gerne auch mithören, sagt er. Als ich Zweifel anmelde, kommt die prompte Erklärung: »Das ist nicht *Nabucco* hier.«

Er lacht, fragt, ob ich schon einen bestimmten Fahrplan für die Stadt hätte; ohne meine Antwort abzuwarten, notiert er auf einem Stück Papier zwei, drei Adressen und Namen. Vor allem steht da die Barnes Collection, eine außergewöhnliche private Gemäldesammlung. Ohne seinen Tip wäre ich diesem Kunsttempel sicher nicht begegnet.

Dann erkundigt er sich nach meinem Hotel, bemerkt, daß Essen und Trinken hier in der Stadt überall gleich gut seien, aber dazu könne er ja, wie bekannt, keine guten Ratschläge geben... Ob ich schon von dem traditionsreichen Restaurant »Bookbinder's« gehört hätte? Als ich bejahe, ist er zufrieden.

Muti, auch der perfekte Reiseleiter? Als ich meinen Gedanken ausspreche, meint er kokettierend: »Immerhin gehöre ich hier ja auch schon so ein bißchen zum einheimischen alten Eisen.«

Aber damit hat es dann auch sein Bewenden. Als ich mich schon zum Gehen verabschiede, erwähnt der Maestro plötzlich meine VOGUE-Geschichte. Da höre ich, daß ihm Agnes Baltsa freundlicherweise während der gerade vor kurzem zu Ende gegangenen Japan-Tournee den gesamten Beitrag ins Italienische übersetzt habe. Ich beschwöre augenblicklich sämtliche

Heiligen, aber ein schmunzelnder Maestro beruhigt
mich: »Sie hat ihn sehr gut gefunden.« Was *er* davon
hält, hinterfrage ich nicht mehr.

Um abzulenken, komme ich auf seinen amerikanischen Doktorhut honoris causa zu sprechen. Da blitzen
Mutis Augen und er erklärt, jetzt schon im Treppen-
haus angelangt: »Die hiesige Universität von Pennsylvania, sie ist sehr bedeutend, hat mich vorigen Mai
damit ausgezeichnet.«

Seine Dankesrede hielt Muti über »Die Beziehung
zwischen Leben und Musik«. Dafür gab es, was in den
USA selten passiert, »standing ovations« und Abdrucke
seiner Rede in mehreren amerikanischen Zeitungen.

Als ich die Academy of Music verlasse, mache ich mich
schleunigst auf den Weg zu den Rundfahrten. Besonders schön war es an jenem herrlichen Frühherbstvor-
mittag, den Legenden hinterherzufahren. Dazu gehört
das wie ein Spielzeughaus anmutende Betsy Ross
House, in dem jene Näherin gewohnt haben soll, die
angeblich die erste amerikanische Flagge gestichelt
hat. Daß es wohl nicht so war, interessiert niemanden.
Gleich um die Ecke von diesem Pilgerzentrum kann
man die älteste Wohnstraße der USA besichtigen. Eng
und altertümlich schlängelt sie sich dahin, mit Häu-
sern aus dem 18. Jahrhundert. Und an irgendeiner Tür
kann man erfragen, wann »Open day« ist, wenn man
das Ganze auch von innen bestaunen will.

Meine Mitfahrer interessiert vor allem das museale

Feuerwehrhaus, die Firemen's Hall, wo es vor Helmen und Schläuchen nur so strotzt. Ich zeige artig Interesse, habe jetzt aber auch einen Wunsch frei, und so fahren wir – es lebe der Kontrast – ins Rodin-Museum. Die von einem gepflegten kleinen Park umgebene ehemalige Privatvilla beherbergt neben einigen ganz erlesenen Plastiken wie u. a. dem »Denker« auch Zeichnungen des berühmten Franzosen.

Edgar Allan Poe »begegnet« mir kurze Zeit später. Nördlich des Independance Square steht das Haus, in dem der amerikanische Schriftsteller von 1842 bis 1844 lebte. Von 9 bis 17 Uhr kann man auch eintreten. Wir haben Pech. Der Verwalter hat an diesem Tag Zahnschmerzen. Ein Zettel an der Eingangstür informiert, daß er beim Dentisten ist. Also bleibt das Haus geschlossen.

Ersatzweise fahren wir nach Germantown, das interessiert hauptsächlich mich. Der Stadtteil bietet ein eher trostloses Bild; die ehemals schönen Villen sind verlassen, teils verfallen. Germantown, einst von Deutschen und Holländern gegründet, zeigt nur noch wenige Spuren des ehemaligen Wohlstands. Informativer für alle ist dagegen der Hinweis, daß nicht weit von hier – wieder eine Zone für allerexklusivstes Wohnen – sich der Besitz der bekannten Kelly-Familie befindet. Deren berühmtestes Mitglied war bekanntlich der ehemalige Hollywoodstar Grace Kelly, die spätere Fürstin von Monaco.

Inzwischen sind wir in der Nähe des Philadelphia Museum of Art angekommen. Eine gigantische Freitreppe führt zu der weithin sichtbaren Kunststätte, die eine der bedeutendsten der USA ist. Und auch die hier untergebrachten Sammlungen können sich mit europäischen durchaus messen. Leider bleibt nur für eine Stipvisite Zeit, denn die Fahrt nähert sich dem Ende.

Den Kunstgenuß der Barnes Foundation gönne ich mir alleine. Allerdings, der Eintritt in das am Stadtrand Philadelphias gelegene Museum ist nicht unproblematisch. Ohne vorherige Anmeldung läuft oft gar nichts, denn mehr als zweihundert Besucher pro Tag werden nicht eingelassen. Ich habe Glück und gehöre zu den Auserwählten. Die zwei Stunden, die ich mir für den Rundgang reserviert habe, sind mir als ein einziges Schwelgen, vornehmlich im Impressionismus, in Erinnerung. Ich habe sie nicht gezählt, aber wenn man den Informationen glauben darf, dann sollen es mehr als zweihundert Renoirs, an die sechzig Matisses, annähernd hundert Cézannes und etliche Picassos sein. Alle Gemälde, die dem Betrachter hier präsentiert werden, sind von ausgesuchter Schönheit. Die meisten wurden bis dahin nie an andere Museen ausgeliehen und auch nie publiziert.

Nach Besichtigung dieser vorzüglichen Kollektion zog ich mich in mein Hotelzimmer zurück, schaute auf den pittoresken Hafen und habe so das Museumserlebnis in aller Stille noch eine Zeitlang nachwirken lassen. Da paßte es gut, daß ein weiterer Kunstgenuß lockte. Der Tag klang aus mit einem Konzert, dargeboten von einem glänzend disponierten Philadelphia Orchestra unter Riccardo Mutis Stabführung.

Das Programm war ganz nach Muti-Art zusammengestellt: Tschaikowsky, Hindemith, Schubert. Wir hatten verabredet, daß ich nach Schluß »backstage« bei ihm vorbeischauen sollte, ihm good-bye! zu sagen. Ich tat es mit besonderem Dank für seine unbezahlbaren Ratschläge und für ein herrliches Konzert.

Tags darauf war in der Zeitung zu lesen, »der jugendliche Chef des Orchesters habe seine Musiker so genial geführt, daß man sich wünsche, der italienische Scala-Chef möge hier nicht so selten gastieren«.

Philadelphia wollte ich nicht ohne Besuch bei »Bookbinder's« verlassen. Mein Hotel lag nur zehn Minuten von dem berühmten Seafood-Lokal entfernt. Vor der Rückfahrt nach New York genehmigte ich mir dort nicht etwa Austern oder Lobster, die es hier frisch aus dem Meer gibt, sondern die Spezialität des Hauses: Original Bookbinder's »Manhattan Clam Chowder«, eine köstliche, cremige Fischsuppe. Damit ich nicht unter fünfzehn Dollar das »old fashioned« Restaurant verlassen mußte, kaufte ich dem Ober noch die riesige bunte Speisekarte ab und einen Aschenbecher mit dem Porträt von William Penn, dem Begründer Philadelphias. Zur ewigen Erinnerung!

Zu Beginn des Jahres 1990 bin ich für mehrere Wochen wieder einmal in New York. Die Aufzeichnungen zu einem Buch über den Maler Lovis Corinth sind der Anlaß. Corinths Tochter Wilhelmine, mit der ich das Projekt realisiere, lebt seit fast fünfzig Jahren in Manhattan. Als in der Carnegie Hall ein Konzert unter der Leitung von Riccardo Muti angekündigt ist, bemühe ich mich – was sonst – um eine Karte. Aber Muti-Konzerte sind auch in der vom Kunstbetrieb überfrachteten Metropole immer ausverkauft. Nur mit Müh und Not ergattere ich ein Teuer-Ticket.

Eigentlich habe ich die Absicht, den Maestro nach dem Konzert kurz zu begrüßen. Aber der labyrinthische Weg ins Dirigentenzimmer ist mit Menschen so überfüllt, daß ich es vorziehe, mich nicht durchzudrängeln, sondern vor der Türe auf Taxijagd zu gehen.

In diesem Jahr, so entnehme ich italienischen Zeitungen, wird Riccardo Muti eine der begehrtesten Auszeichnungen zuteil. Bologna, die älteste Universität Europas, verleiht ihm die Ehrendoktorwürde. Seine fünfte.

Bei den Salzburger Festspielen 1990 hat Riccardo Muti von dem im Vorjahr verstorbenen Herbert von Karajan Mozarts *Don Giovanni* übernommen.

Im Dezember 1990 flattert mir ein Brief ins Haus. Er kündigt das Programm des »Ravenna Festival« für den Sommer 1991 an. Es wurde 1990 ins Leben gerufen, und die Präsidentschaft hat Cristina Muti übernommen. Grundgedanke und Initiativen dieses hochkarätig angesetzten, jungen Festivals werden im Januar 1991 während der Mozart-Woche in Salzburg vorgestellt. Bei einem aus diesem Anlaß stattfindenden kleinen offiziellen Mittagessen treffe ich nach längerer Zeit das Ehepaar Muti wieder. Es bleibt nur Zeit für Small talk, denn das elegante, prominente Paar ist von Reportern

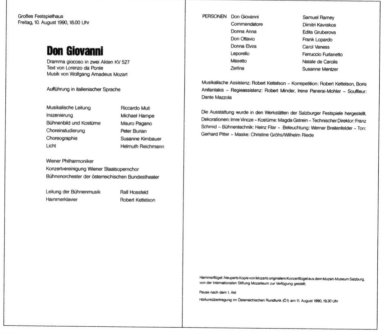

Großes Festspielhaus
Freitag, 10. August 1990, 18.00 Uhr

Don Giovanni

Dramma giocoso in zwei Akten KV 527
Text von Lorenzo da Ponte
Musik von Wolfgang Amadeus Mozart

Aufführung in italienischer Sprache

Musikalische Leitung	Riccardo Muti
Inszenierung	Michael Hampe
Bühnenbild und Kostüme	Mauro Pagano
Choreinstudierung	Peter Burian
Choreographie	Susanne Kirnbauer
Licht	Helmuth Reichmann

Wiener Philharmoniker
Konzertvereinigung Wiener Staatsopernchor
Bühnenorchester der österreichischen Bundestheater

Leitung der Bühnenmusik	Ralf Hossfeld
Hammerklavier	Robert Kettelson

PERSONEN		
Don Giovanni	Samuel Ramey
Commendatore	Dimitri Kavrakos
Donna Anna	Edita Gruberova
Don Ottavio	Frank Lopardo
Donna Elvira	Carol Vaness
Leporello	Ferruccio Furlanetto
Masetto	Natale de Carolis
Zerlina	Susanne Mentzer

Musikalische Assistenz: Robert Kettelson – Korrepetition: Robert Kettelson, Boris Anifantakis – Regieassistenz: Robert Minder, Irene Panerai-Mohler – Souffleur: Dante Mazzola

Die Ausstattung wurde in den Werkstätten der Salzburger Festspiele hergestellt. Dekorationen: Imre Vincze – Kostüme: Magda Gstrein – Technischer Direktor: Franz Schmid – Bühnentechnik: Heinz Filar – Beleuchtung: Werner Breitenfelder – Ton: Gerhard Pitter – Maske: Christine Gröhs/Wilhelm Riede

Hammerflügel: Neuperts Kopie von Mozarts originalem Konzertflügel aus dem Mozart-Museum Salzburg, von der Internationalen Stiftung Mozarteum zur Verfügung gestellt.

Pause nach dem 1. Akt

Hörfunkübertragung im Österreichischen Rundfunk (Ö1) am 11. August 1990, 19.30 Uhr

Besetzungszettel der Wiederaufnahme des »Don Giovanni« von Wolfgang Amadeus Mozart bei den Salzburger Festspielen 1990

und Fernsehleuten ständig umlagert. Dennoch erfahre ich von ihnen, daß die inzwischen flügge gewordenen beiden älteren Kinder – Domenico geht noch zur Schule – bereits studieren: Architektur und Musik. Und daß es auch bald ein »Sommerhäuschen« bei Salzburg geben wird. Herzlich sind sie wie immer, als sie mir das so zwischen Tür und Angel stückweise erzählen. Auch, daß sie in der nächsten Woche schon wieder gemeinsam nach Berlin fliegen.

Einen Monat später lese ich einen Premierenbericht über die von Muti dirigierte Scala-Premiere von Luigi Cherubinis *Lodoïska*. Damit hat der Maestro eines seiner großen Anliegen realisiert.

Im darauffolgenden Jahr bringt Muti seine zweite Wagner-Bühnenproduktion heraus: Am 7. Dezember 1991 eröffnet er die Mailänder Saison mit *Parsifal*.

Wieder ein Jahr später, 1992, gibt Muti nach zwölfjähriger Tätigkeit die Position des Chefdirigenten in Philadelphia ab und verlängert kurze Zeit darauf seinen Vertrag mit der Mailänder Scala um weitere fünf Jahre.

Ausklang

Meine mir im Laufe der Jahre schon zur angeneh-men Gewohnheit gewordenen Gespräche mit Riccardo Muti kamen irgendwann einmal zum Still-stand. Die Gründe sind plausibel: Ein Mann, der nur der Musik, seiner Aufgabe und seiner Familie lebt, keine skandalträchtigen Schlagzeilen liefert, sich höchstens in italienischen Zeitungen darüber mokiert, daß Italien zwar Mode, aber nicht Musik exportiere, verliert für die Magazine zwar nicht an Attraktivität, aber doch an Vorrangigkeit. So ist der »bel uomo«, der »schöne Mann«, wie ihn seine Landsleute stolz nen-nen, zwar nach wie vor in ebenso schöner Regelmäßig-keit in den italienischen Medien zu finden; hierzulande aber hat sich demgegenüber seit einiger Zeit das öf-fentliche Interesse wieder mehr auf sein künstlerisches Wirken und seine umfangreiche Schallplattenproduk-tion konzentriert. Man liest Konzertkritiken und CD-Besprechungen – Homestories und Interviews sind sel-tener geworden, denn auch der Maestro hält sich offen-sichtlich lieber bedeckt.

Meine nächste Begegnung mit ihm habe ich also vor-derhand auf den Zeitpunkt verlegt, zu dem er sich eines schönen Tages womöglich doch wieder einer weiteren, neuen Herausforderung stellt.

Im Moment allerdings, und schon seit längerem, scheint er vollauf mit der Erfüllung der ihm gestellten großen Aufgabe beschäftigt zu sein, die er, einer italienischen Zeitungs-Headline zufolge glaubhaft so interpretiert: »Die Scala ist Vorbild für die Welt.«

Dem wäre derzeit sicher nichts hinzuzufügen. Nur: Wer den Maestro Riccardo Muti richtig einschätzt, weiß, daß er jederzeit für jede Überraschung gut ist.

Nachwort

An dieser Stelle möchte ich nicht versäumen, meinen besonderen Dank jenen auszusprechen, die an der Realisation dieses Buches mitgewirkt haben: Bernhard Moncado, Kapellmeister in Aachen; Mooi Jiew Oh-Moncado, Pianistin, Aachen; Joachim Schilling, Rom; Hans Popst, Bayerische Staatsbibliothek, München; Gabriela Wurm, München, und vor allem Dagmar Täschner, München, und Bianca Bianchi, Mailand. Meinem Lektor Dr. Bernhard Struckmeyer danke ich für seine kompetente Hilfe.

München, im Mai 1994   H. S.

Anhang

Lebensdaten und Auszeichnungen

1941 Geboren am 28. Juli in Neapel als Sohn eines Arztes.
Kindheit in Molfetta bei Bari. Er lernt als Junge Klavierspiel und Violine. Nach dem Abitur Besuch des Konservatoriums von Bari (Direktor Nino Rota), anschließend des Konservatoriums »San Pietro e Majella« von Neapel (Lehrer Vincenzo Vitale). Gleichzeitig Literaturstudium an der philosophischen Fakultät der Universität von Neapel. Am Musikkonservatorium von Neapel dirigiert er erstmals: ein Studentenorchester.
Wechsel an das Konservatorium »Giuseppe Verdi« von Mailand, um dort Komposition bei Bruno Bettinelli und Dirigieren bei Antonio Votto zu studieren.

1967 gewinnt er mit sechsundzwanzig Jahren als erster Italiener den Guido-Cantelli-Wettbewerb.

1968 gibt er sein professionelles Debüt: Er begleitet Svjatoslav Richter beim Maggio Musicale Florenz. Im selben Jahr wird er zum Chefdirigenten des Maggio Musicale und zum musikalischen Direktor dieses Festivals ernannt. Diese Position gibt er 1982 auf.

1971 Debüt bei den Salzburger Festspielen.

1972 dirigiert er erstmals das Philharmonia Orchestra London, das er kurz darauf, in der Nachfolge Otto Klemperers, als Chefdirigent übernimmt. 1982 beendet er seine Londoner Tätigkeit und wird zum »Conductor Laureate« ernannt.
Debüts beim Edinburgh-Festival, an der Londoner Covent Garden Opera und an der Wiener Staatsoper.

1977 Gastdirigent des Philadelphia Orchestra, das er...

1980 ...als Nachfolger von Eugene Ormandy als Chefdirigent übernimmt und in dieser Position bis 1992 leitet. Auch dieses Orchester ernennt ihn zum »Conductor Laureate«.

1981 Debüt am Teatro alla Scala, Mailand, mit Mozarts *Nozze di Figaro* (Regie Giorgio Strehler).

1986 Berufung zum musikalischen Direktor der Mailänder Scala. Mit dem Scala-Orchester unternimmt er in den folgenden Jahren zahlreiche Reisen in verschiedene Länder. Er gastiert in Japan, Deutschland und Frankreich, wo er 1988 Verdis Requiem in der Kathedrale von Notre-Dame in Paris aufführt. Außer an der Scala seit den 70er Jahren zahlreiche Opernproduktionen in Wien, München und London. Er ist ständiger Gastdirigent der Berliner und der Wiener Philharmoniker.

1987 Ernennung zum musikalischen Direktor des Philharmonischen Orchesters der Scala.

1988 Auszeichnung »Viotti d'Oro«.

1989 führt ihn eine triumphale Konzerttournee nach Rußland, wo er von berühmten Persönlichkeiten wie Michail Gorbatschov und Andrej Sacharov geehrt wird.

1990 Im Herbst dirigiert er eine Tournee mit den Wiener Philharmonikern durch die bedeutendsten europäischen Städte.

1991 dirigiert er im Januar bei der Mozartwoche in Salzburg die Wiener Philharmoniker und eröffnet damit die Feierlichkeiten zum Mozartjahr.

1992 dirigiert er am 22. März im Musikvereinssaal in Wien die Wiener Philharmoniker aus Anlaß ihres einhundertfünfzigjährigen Bestehens.

1992 Im Juli dirigiert er Verdis *La Traviata* und das Requiem während einer Tournee mit dem Teatro alla Scala nach Sevilla, Madrid und Barcelona aus Anlaß der Weltausstellung. Im Oktober desselben Jahres zwei Auftritte in der New Yorker Carnegie Hall mit dem Scala-Ensemble.

1993 dirigiert er am 1. Januar das Neujahrskonzert der Wiener Philharmoniker, das vom Fernsehen weltweit übertragen wird.

Für seine Schallplatteneinspielungen, die er mit verschiedenen Gesellschaften machte, erhielt Riccardo Muti zahlreiche Auszeichnungen. Zu den Höhepunkten seiner vielfältigen Schallplattenaufnahmen gehören der Zyklus von Verdi-Opern mit der Scala, die Symphonien von Beethoven, Brahms und Skrjabin mit dem Philadelphia Orchestra und die Schubert-Symphonien mit den Wiener Philharmonikern.

Riccardo Muti erhielt Ehrendoktortitel für Musik von der Universität von Pennsylvania, dem Mount Holyoke College/Massachusetts, beide USA, und den Universitäten von Bologna und Urbino, Italien. Er ist Ehrendoktor der Universität Warwick, England, und des Westminster Choir College/Princeton USA.

Muti ist Mitglied der Royal Academy of Music in London, der Accademia di Santa Cecilia in Rom, der Luigi Cherubini Accademia in Florenz.

Er ist Ritter des Großkreuzes der Republik Italien, Ritter des Malteserordens und Träger des Bundesverdienstkreuzes der Bundesrepublik Deutschland sowie Träger des Ehrenkreuzes der Republik Österreich und der Ehrenlegion der Republik Frankreich.

1991 erhielt er den Ring der Wiener Philharmoniker.

Quellennachweis der auszugsweise verwendeten Zitate

Hans-Klaus Jungheinrich: »Die großen Dirigenten«, ECON Taschenbuch Verlag Düsseldorf 1986 (verwendete Zitate im vorliegenden Buch auf den Seiten 26/27 und 35/36)

NZ: (ohne Datum) »Das aktuelle Porträt« von Michael Stegemann

Von der Autorin: MADAME 12/82, MODE UND WOHNEN 1983, ZDF-Interview 1983, Deutsches Allgemeines Sonntagsblatt 1983, Deutsche VOGUE August 1988, Nürnberger Zeitung 1988 sowie aus den Büchern »Prominenz läßt bitten«, 1983, und »Hoheiten, Exzellenzen, Prominente«, 1987, beide bei Bastei-Lübbe Verlag, Bergisch Gladbach

Opernproduktionen bei den Salzburger Festspielen seit 1971 und am Teatro alla Scala, Mailand, seit 1986

Salzburger Festspiele
Opern (Neuinszenierungen, Neueinstudierungen
und Wiederaufnahmen)
(mit Doppelbesetzungen)

Kleines Festspielhaus
Gaetano Donizetti
Don Pasquale
(in italienischer Sprache)

Dirigent: Riccardo Muti
Inszenierung/Bühnenbild: Ladislav Štros
Kostüme: Marcel Pokorný

11. August 1971
9. August 1972
11. August 1973

Don Pasquale	Fernando Corena
Dottor Malatesta	Rolando Panerai
Ernesto	Pietro Bottazzo
Norina	Emilia Ravaglia
	(1972 u. 1973: Graziella Scutti)
Un notaio	Augusto Frati

Kleines Festspielhaus
Wolfgang Amadeus Mozart
Così fan tutte
(in italienischer Sprache)

Dirigent: Riccardo Muti
Inszenierung: Michael Hampe
Bühnenbild/Kostüme: Mauro Pagano

28. Juli 1982

Fiordiligi	Margaret Marshall
Dorabella	Agnes Baltsa
Guglielmo	James Morris
Ferrando	Francisco Araiza/Gösta Winbergh
Despina	Kathleen Battle
Don Alfonso	José van Dam/Carlos Feller

29. Juli 1983

Fiordiligi	Margaret Marshall
Dorabella	Ann Murray
Guglielmo	James Morris
Ferrando	Francisco Araiza
Despina	Kathleen Battle/Adelina Scarabelli
Don Alfonso	Sesto Bruscantini

29. Juli 1984

Fiordiligi	Margaret Marshall
Dorabella	Ann Murray
Guglielmo	James Morris
Ferrando	Francisco Araiza
Despina	Adelina Scarabelli/Kathleen Battle
Don Alfonso	Sesto Bruscantini

28. August 1985

Fiordiligi	Margaret Marshall
Dorabella	Ann Murray/Delores Ziegler
Guglielmo	James Morris
Ferrando	Francisco Araiza
Despina	Kathleen Battle
Don Alfonso	Sesto Bruscantini

29. Juli 1990
Fiordiligi	Margaret Marshall
Dorabella	Ann Murray
Guglielmo	Thomas Hampson
Ferrando	Deon van der Walt
Despina	Adelina Scarabelli
Don Alfonso	Alessandro Corbelli

30. Juli 1991
Fiordiligi	Margaret Marshall
Dorabella	Ann Murray
Guglielmo	Thomas Hampson
Ferrando	Gösta Winbergh
Despina	Adelina Scarabelli
Don Alfonso	Alessandro Corbelli

Felsenreitschule
Wolfgang Amadeus Mozart
La clemenza di Tito
(in italienischer Sprache)

Dirigent: Riccardo Muti
Inszenierung: Peter Brenner
Ausstattung: Enrico Job/Benito Persico

27. Juli 1988
Tito	Gösta Winbergh
Vitellia	Carol Vaness
Servilia	Christine Barbaux
Sesto	Delores Ziegler
Annio	Martha Senn
Publio	Laszlo Polgár

28. Juli 1989
Tito	Gösta Winbergh
Vitellia	Carol Vaness
Servilia	Amelia Felle

Sesto	Delores Ziegler/Diana Montague
Annio	Susanne Mentzer
Publio	Giorgio Surjan

Großes Festspielhaus
Wolfgang Amadeus Mozart
Don Giovanni
(in italienischer Sprache)

Dirigent: Riccardo Muti
Inszenierung: Michael Hampe
Bühnenbild/Kostüme: Mauro Pagano

10. August 1990
3. August 1991

Don Giovanni	Samuel Ramey
Il Commendatore	Dimitri Kavrakos
Donna Anna	Edita Gruberova
Don Ottavio	Frank Lopardo
Donna Elvira	Carol Vaness
Leporello	Ferruccio Furlanetto
Masetto	Natale de Carolis
Zerlina	Susanne Mentzer

Teatro alla Scala, Mailand
Von Riccardo Muti dirigierte Opern (Neuinszenierungen,
Neueinstudierungen und Wiederaufnahmen) seit 1986,
als er musikalischer Direktor des Hauses wurde
(mit Doppelbesetzungen)

Stagione 1986/87

7. Dezember 1986
Giuseppe Verdi
Nabucco

Dirigent: Riccardo Muti
Inszenierung: Roberto De Simone
Bühnenbild: Mauro Carosi
Kostüme: Odette Nicoletti

Nabucco	Renato Bruson/Giorgio Zancanaro
Ismaele	Bruno Beccaria/Mario Malagnini
Zaccaria	Paata Burchuladze/Francesco Ellero D'Artegna
Abigaille	Ghena Dimitrova/Lynn Roark Strummer
Fenena	Raquel Pierotti
Il gran Sacerdote di Belo	Mario Luperi/Aldo Bramante
Abdallo	Ernesto Gavazzi
Anna	Maria Francesca Garbi/Antonella Banaudi

5. März 1987
Christoph Willibald Gluck
Alceste

Dirigent: Riccardo Muti
Inszenierung/Bühnenbild/Kostüme: Pier Luigi Pizzi

Admeto	Giuseppe Morino
Alceste	Rosalind Plowright/Josella Ligi
Eumelo	Giuseppe Imperato
Aspasia	Guido Cogliati
Evandro	William Matteuzzi/Ezio Di Cesare
Ismene	Anne Sofie von Otter/Susanne Anselmi
Apollo	Ernesto Gavazzi
Il gran Sacerdote	
d'Apollo	Alberto Noli
Un banditore	
Un nume infernale	Giancarlo Boldrini/Ernesto Panariello
L'oracolo	Aldo Bramante

23. April 1987
Vincenzo Bellini
I Capuleti e i Montecchi

Dirigent: Riccardo Muti
Inszenierung/Bühnenbild/Kostüme: Pier Luigi Pizzi

Capellio	Mario Rinaudo
Giulietta	June Anderson/Mariella Devia
Romeo	Agnes Baltsa/Delores Ziegler
Tebaldo	Dano Raffanti/Giuseppe Morino
Lorenzo	Giorgio Surjan

16. Juni 1987
Wolfgang Amadeus Mozart
Le nozze di Figaro

Dirigent: Riccardo Muti
Inszenierung: Giorgio Strehler
Bühnenbild: Ezio Frigerio
Kostüme: Franca Squarciapino

Il conte d'Almaviva	William Shimell/Claudio Nicolai
La contessa	
d'Almaviva	Eugenia Moldoveanu/Lella Cuberli
Susanna	Barbara Hendricks/Patrizia Pace

Figaro	Samuel Ramey/Claudio Desderi
Cherubino	Ann Murray/Anne Sofie von Otter
Marcellina	Raquel Pierotti/Gloria Banditelli
Bartolo	Giorgio Surjan/Antonio Juvarra
Don Basilio	Ernesto Gavazzi
Don Curzio	Oslavio Di Credico
Barbarina	Patrizia Pace/Elisabeth Norberg Schulz
Antonio	Claudio Giombi
Prima contadina	Gabriella Ferroni
Seconda contadina	Carmela Apollonio

Stagione 1987/88

7. Dezember 1987
Wolfgang Amadeus Mozart
Don Giovanni

Dirigent: Riccardo Muti
Inszenierung: Giorgio Strehler
Bühnenbild: Ezio Frigerio
Kostüme: Franca Squarciapino

Don Giovanni	Thomas Allen/José van Dam
Il Commendatore	Sergej Koptchak/Stephen Dupont
Donna Anna	Edita Gruberova/Cheryl Studer
Don Ottavio	Francisco Araiza/Frank Lopardo
Donna Elvira	Ann Murray/Mariana Nicolesco
Leoporello	Claudio Desderi
Masetto	Natale de Carolis/Roberto Coviello
Zerlina	Susanne Mentzer/Patrizia Pace

22. März 1988
Richard Wagner
Der fliegende Holländer

Dirigent: Riccardo Muti
Inszenierung: Michael Hampe
Bühnenbild/Kostüme: John Günter

– 177 –

Daland	Robert Lloyd/Jaakko Ryhanen
Senta	Deborah Polaski/Mechthild Gessendorf/Dunja Vejzovich
Erik	Eberhard Büchner/Michael Pabst
Mary	Margarita Lilova/Monica Tagliasacchi
Der Steuermann	Robert Gambill/Krystian Johannsson
Der Holländer	James Morris/Alfred Muff

20. Juni 1988
Giuseppe Verdi
Nabucco

Dirigent: Riccardo Muti
Inszenierung: Roberto De Simone
Bühnenbild: Mauro Carosi
Kostüme: Odette Nicoletti

Nabucco	Giorgio Zancanaro
Ismaele	Ezio Di Cesare
Zaccaria	Paul Plishka/Paata Burchuladze
Abigaille	Linda Roark Strummer/Ghena Dimitrova
Fenena	Luciano d'Intino/Maria Dragoni
Il gran Sacerdote di Belo	Luigi Roni
Abdallo	Renato Cazzaniga
Anna	Maria Francesca Garbi

Stagione 1988/89

7. Dezember 1988
Gioacchino Rossini
Guglielmo Tell

Dirigent: Riccardo Muti
Inszenierung: Luca Ronconi
Bühnenbild: Gianni Quaranta
Kostüme: Vera Marzot

Guglielmo Tell	Giorgio Zancanaro / Antonio Salvadori
Arnoldo	Chris Merritt
Gualtiero Farst	Giorgio Surjan
Melchtal `	Franco De Grandis
Gemmy	Amelia Felle / Elisabeth Norberg Schulz
Edwige	Luciana D'Intino / Francesca Franci
Ruodi	Vittorio Terranova / César Antonio Suàrez /
	Elio Ferretti
Leutoldo	Alberto Noli
Gessler	Luigi Roni / Alfredo Zanazzo
Matilde	Cheryl Studer
Rodolfo	Ernesto Gavazzi / Renato Cazzaniga
Un cacciatore	Ernesto Panariello

11. März 1989
Wolfgang Amadeus Mozart
Le nozze di Figaro

Dirigent: Riccardo Muti
Inszenierung: Giorgio Strehler
Bühnenbild: Ezio Frigerio
Kostüme: Franca Squarciapino

Il conte d'Almaviva	William Shimell / Michele Pertusi
La contessa	
d'Almaviva	Cheryl Studer / Daniela Dessi
Susanna	Patrizia Pace
Figaro	Ferruccio Furlanetto / Alessandro Corbelli
Cherubino	Ann Murray
Marcellina	Gloria Banditelli
Bartolo	Giorgio Surjan
Don Basilio	Ernesto Gavazzi
Don Curzio	Oslavio Di Credico
Barbarina	Elisabeth Norberg Schulz
Antonio	Claudio Giombi
Prima contadina	Anna Zoroberto
Seconda contadina	Milena Pauli

28. März 1989
Wolfgang Amadeus Mozart
Così fan tutte

Dirigent: Riccardo Muti
Regie: Michael Hampe
Bühnenbild/Kostüme: Mauro Pagano

Fiordiligi	Daniela Dessi
Dorabella	Ann Murray/Delores Ziegler
Ferrando	Josef Kundlak/John Aler
Guglielmo	Alessandro Corbelli
Despina	Adelina Scarabelli
Don Alfonso	Claudio Desderi

7. April 1989
Wolfgang Amadeus Mozart
Don Giovanni

Dirigent: Riccardo Muti
Inszenierung: Giorgio Strehler
Bühnenbild: Ezio Frigerio
Kostüme: Franca Squarciapino

Don Giovanni	Ferruccio Furlanetto
Il Commendatore	Sergej Koptchak
Donna Anna	Edita Gruberova
Don Ottavio	Frank Lopardo
Donna Elvira	Ann Murray
Leporello	Claudio Desderi
Masetto	Natale de Carolis
Zerlina	Susanne Mentzer

17. Juni 1989
Christoph Willibald Gluck
Orfeo ed Euridice

Dirigent: Riccardo Muti
Inszenierung: Giorgio Strehler

Bühnenbild: Ezio Frigerio
Kostüme: Franca Squarciapino

Orfeo   Bernadette Manca Di Nissa/Elzbieta Ardam
Euridice   Lella Cuberli/Lucia Mazzaria
Amore   Elisabeth Norberg Schulz/Valeria Esposito

Stagione 1989/90

7. Dezember 1989
Giuseppe Verdi
I vespri siciliani

Dirigent: Riccardo Muti
Inszenierung/Bühnenbild/Kostüme: Pier Luigi Pizzi

Guy de Montfort   Giorgio Zancanaro/Eduard Tumagian
Il sire de Bèthune   Enzo Capuano
Il conte di Vaudemont Francesco Musinu
Henri   Chris Merritt
Jean Procida   Ferruccio Furlanetto/Carlo Colombara
La duchessa Hélène   Cheryl Studer/Kallen Esperian
Ninetta   Gloria Banditelli
Danieli   Ernesto Gavazzi
Thibault   Paolo Barbacini/Bruno Lazzaretti
Robert   Marco Chingari
Manfredo   Ferrero Poggi

22. Dezember 1989
Giovanni Battista Pergolesi
Lo frate 'nnamurato

Dirigent: Riccardo Muti
Inszenierung: Roberto de Simone
Bühnenbild: Mauro Carosi
Kostüme: Odette Nicoletti

Marcaniello   Alessandro Corbelli
Lucrezia   Luciana D'Intino

– 181 –

Don Pietro	Bruno De Simone
Ascanio	Nuccia Focile
Carlo	Ezio Di Cesare
Nena	Amelia Felle
Nina	Bernadette Manca Di Nissa
Vannella	Elisabeth Norberg Schulz
Cardella	Nicoletta Curiel
Lo schermidore	Luca Bonini

9. März 1990
Wolfgang Amadeus Mozart
La clemenza di Tito

Dirigent: Riccardo Muti
Inszenierung: Pierre Romans
Bühnenbild: Denis Fruchaud
Kostüme: Christian Gasc

Tito Vespasiano	Gösta Winbergh/Giuseppe Morino
Vitellia	Christine Weidinger Smith
Servilia	Nuccia Focile
Sesto	Ann Murray
Annio	Susanne Mentzer/Nicoletta Curiel
Publio	Giorgio Surjan/Giovanni Furlanetto

21. April 1990
Giuseppe Verdi
La Traviata

Dirigent: Riccardo Muti
Inszenierung: Liliana Cavani
Bühnenbild: Dante Ferretti
Kostüme: Gabriella Pescucci

Violetta Valéry	Tiziana Fabbricini/Lucia Mazzaria/ Giusy Devinu
Flora	Nicoletta Curiel/Silvia Mazzoni
Annina	Antonella Trevisan/Anna Zoroberto
Alfredo Germont	Roberto Alagna/Fernando De La Mora

Giorgio Germont	Paolo Coni/Paolo Gavanelli
Gastone	Enrico Cossutta
Il barone Douphol	Orazio Mori
Lo marchese d'Obigny	Enzo Capuano
Il dottor Grenvil	Sergio Fontana/Francesco Musinu
Giuseppe	Ferrero Poggi
Un domestico di Flora	Ernesto Panariello
Un commissionario	Ledo Freschi/Silvestro Sammaritano

Stagione 1990/91

7. Dezember 1990
Wolfgang Amadeus Mozart
Idomeneo

Dirigent: Riccardo Muti
Inszenierung: Roberto De Simone
Bühnenbild: Mauro Carosi

Idomeneo	Gösta Winbergh/Giuseppe Sabbatini
Idamante	Delores Ziegler/Ning Liang
Ilia	Patricia Schuman/Nuccia Focile
Elettra	Carol Vaness/Christine Weidinger Smith
Arbace	Bruno Lazzaretti/Francesco Piccoli
Gran Sacerdote di Nettuno	Ezio Di Cesare
La voce	Renato Fiumano/Ernesto Panariello/ Aldo Bramante
Prima cretese	Lucetta Bizzi/Anna Zoroberto
Seconda cretese	Lucia Rizzi/Silvia Mazzoni
Primo Troiano	Ernesto Gavazzi/Enrico Cossutta
Secondo troiano	Piero Guarnera

22. Februar 1991
Luigi Cherubini
Lodoïska

Dirigent: Riccardo Muti
Inszenierung: Luca Ronconi
Bühnenbild: Margherita Palli

Lodoïska	Mariella Devia / Susan Patterson
Lysinka	Francesca Pedaci / Maria Francesca Garbi
Floreski	Bernard Lombardo / Diego D'Auria
Titzikan	Paul Moser / Paul Lyon
Varbel	Alexandro Corbelli / Bruno De Simone
Durlinski	William Shimell / Manrico Biscotti
Altamoras	Mario Luperi / Aldo Bramante
Talma	Danilo Serraiocco
Primo emissario	Pietro Spina
Secondo emissario	Ernesto Panariello
Terzo emissario	Enzo Capuano
Primo tartaro	Renato Cazzaniga / Ferrero Poggi
Secondo tartaro	Aldo Bramante

24. April 1991
Giuseppe Verdi
La Traviata

Dirigent: Riccardo Muti
Inszenierung: Liliana Cavani
Bühnenbild: Dante Ferretti
Kostüme: Gabriella Pescucci

Violetta Valéry	Tiziana Fabbricini / Giusy Devinu
Flora	Nicoletta Curiel / Silvia Mazzoni
Annina	Antonella Trevisan / Anna Zoroberto
Alfredo Germont	Roberto Alagna / Vincenzo La Scola
Giorgio Germont	Paolo Coni / Juan Pons
Gastone	Enrico Cossutta
Il barone Douphol	Orazio Mori
Il marchese d'Obigny	Enzo Capuano

Il dottor Grenvil	Francesco Musinu
Giuseppe	Ferrero Poggi
Un domestico di Flora	Ernesto Panariello
Un commissionario	Silvestro Sammaritano

25. Juni 1991
Giuseppe Verdi
Attila

Dirigent: Riccardo Muti
Inszenierung: Jérôme Savary
Bühnenbild: Michel Lebois
Kostüme: Jacques Schmidt

Attila	Samuel Ramey/Ferruccio Furlanetto
Ezio	Giorgio Zancanaro/Paolo Gavanelli
Odabella	Cheryl Studer/Barbara Demaio
Foresto	Nazzareno Antinori/Kaludi Kaludov
Uldino	Ernesto Gavazzi
Leone	Mario Luperi

Stagione 1991/92

7. Dezember 1991
Richard Wagner
Parsifal

Dirigent: Riccardo Muti
Inszenierung: Cesare Lievi
Bühnenbild: Daniele Lievi und Peter Laher
Kostüme: Ettora D'Ettorre

Amfortas	Wolfgang Brendel/Monte Pederson
Titurel	Kurt Rydl/Julian Rodescu/Gabriele Monici
Gurnemanz	Robert Lloyd/Kurt Rydl
Parsifal	Placido Domingo/Gary Lakes/Warren Ellsworth
Klingsor	Hartmut Welker/Monte Pederson

– 185 –

Kundry	Waltraud Meier/Dunja Vejzovich
Erster Gralsritter	Ernesto Gavazzi
Zweiter Gralsritter	Danilo Serraiocco/Silvestro Sammari-tano
Vier Knappen	Elisabetta Battaglia
	Mario Bolognesi
	Francesco Memeo
	Tiziana Tramonti
Erste Gruppe der	Claudia Nicole Bandera
Blumenmädchen	Rosalba Colosimo
	Marilena Laurenza
Zweite Gruppe der	Michiè Nakamaru/Sylvia Greenberg
Blumenmädchen	Lucia Rizzi
	Anna Zoroberto
Stimme aus der Höhe	Tiziana Tramonti

18. März 1992
Christoph Willibald Gluck
Iphigénie en Tauride

Dirigent: Riccardo Muti
Inszenierung: Giancarlo Cobelli
Bühnenbild/Kostüme: Paolo Tommasi

Iphigénie	Carol Vaness/Sylvie Brunet
Oreste	Thomas Allen/Didier Henry
Pylade	Gösta Winbergh/Vinson Cole
Diane	Sylvie Brunet/Michela Remor
Un Scythe	Angelo Veccia/Silvestro Sammaritano
Thoas	Giorgio Surjan/Roberto Servile
Première prêtresse	Anna Zoroberto/Mimi Park
Secondo prêtresse	Michela Remor/Gabriella Morigi
Le prêtre	Enrico Turco/Ernesto Panariello
Une femme grecque	Svetla Krasteva

31. März 1992
Giuseppe Verdi
La Traviata

Dirigent: Riccardo Muti
Inszenierung: Liliana Cavani
Bühnenbild: Dante Ferretti
Kostüme: Gabriella Pescucci

Violetta Valéry	Tiziana Fabbricini / Giusy Devinu
Flora	Nicoletta Curiel / Silvia Mazzoni
Annina	Antonella Trevisan / Anna Zoroberto
Alfredo Germont	Roberto Alagna / Vincenzo La Scola
Giorgio Germont	Paolo Coni / Juan Pons
Gastone	Enrico Cossutta
Il barone Douphol	Orazio Mori / Aldo Bramante
Il marchese d'Obigny	Enzo Capuano / Donato Di Stefano / Silvestro Sammaritano
Il dottor Grenvil	Francesco Musinu / Enrico Turco
Giuseppe	Ernesto Gavazzi
Un domestico di Flora	Ernesto Panariello
Un commissionario	Silvestro Sammaritano / Ledo Freschi

27. Juni 1992
Gioacchino Rossini
La donna del lago

Dirigent: Riccardo Muti
Inszenierung: Werner Herzog
Bühnenbild: Maurizio Balò
Kostüme: Franz Blumauer

Giacomo V (Uberto di Snowdon)	Rockwell Blake / Bruce Ford
Douglas d'Angus	Giorgio Surjan
Rodrigo di Dhu	Chris Merritt / Gregory Kunde
Elena	June Anderson / Cecilia Gasdia
Malcolm Groeme	Martine Dupuy / Patricia Spence

– 187 –

Albina   Marilena Laurenza/Anna Zoroberto
Serano   Ernesto Gavazzi
Bertram   Ferrero Poggi/Pierre Lefebvre

Stagione 1992/93

7. Dezember 1992
Giuseppe Verdi
Don Carlo

Dirigent: Riccardo Muti
Inszenierung und Bühnenbild: Franco Zeffirelli
Kostüme: Anna Anni

Filippo II	Samuel Ramey
Don Carlo	Luciano Pavarotti
Rodrigo	Paolo Coni
Il Grande Inquisitore	Alexander Anisimov
Un frate	Andrea Silvestrelli
Elisabetta di Valois	Daniela Dessi
La Principessa Eboli	Luciana D'Intino
Tebaldo	Marilena Laurenza
Una voce dal cielo	Nuccia Focile
Il conte di Lerma	Orfeo Zanetti
Un araldo reale	Mario Bolognesi
Deputati flamminghi	Aldo Bramante, Giorgio Giuseppini, Ernesto Panariello, Giacomo Prestia, Silvestro Sammaritano, Enrico Turco

6. März 1993
Wolfgang Amadeus Mozart
Don Giovanni

Dirigent: Riccardo Muti
Inszenierung: Giorgio Strehler
Bühnenbild: Ezio Frigerio
Kostüme: Franca Squarciapino

Don Giovanni	Thomas Allen
Il Commendatore	Alexander Anisimov
Donna Anna	Carol Vaness
Don Ottavio	Gösta Winbergh
Donna Elvira	Renée Fleming
Leporello	Alessandro Corbelli
Masetto	Pietro Spagnoli
Zerlina	Cecilia Bartoli

1. April 1993
Igor Strawinsky
Le baiser de la fée

Dirigent: Riccardo Muti
Choreographie: Micha van Hoecke
Bühnenbild und Kostüme: Luciano Damiani

Die Fee	Alessandra Ferri
Der junge Mann	Julio Bocca
Die Braut	Oriella Dorella
Die Mutter	Flavia Vallone
Das Kind	Riccardo Bordin

Ruggero Leoncavallo
I Pagliacci

Dirigent: Riccardo Muti
Inszenierung und Bühnenbild: Franco Zeffirelli
Kostüme: Anna Anni

Nedda	Nuccia Focile
Canio	Nicola Martinucci
Tonio	Juan Pons
Peppe	Bruno Lazzaretti
Silvio	Dmitri Hvorostovsky
Primo contadino	Ferrero Poggi
Secondo contadino	Ernesto Panariello

21. Juni 1993
Giuseppe Verdi
Falstaff

Dirigent: Riccardo Muti
Inszenierung: Giorgio Strehler
Bühnenbild und Kostüme: Ezio Frigerio

Sir John Falstaff	Juan Pons
Ford	Roberto Frontali
Fenton	Ramon Vargas
Dottor Cajus	Ernesto Gavazzi
Bardolfo	Paolo Barbacini
Pistola	Luigi Roni
Mrs. Alice Ford	Daniela Dessi
Nannetta	Maureen O'Flynn
Mrs. Quickly	Bernadette Manca Di Nissa
Mrs. Meg Page	Delores Ziegler
L'Osse della	
Giarrettiera	Roberto Lun
Robin	Damiano Pettenella

Stagione 1993/94

7. Dezember 1992
Gasparo Spontini
La Vestale

Dirigent: Riccardo Muti
Inszenierung: Liliana Cavani
Bühnenbild: Margherita Palli
Kostüme: Gabriella Pescucci

Licinio	Anthony Michaels-Moore
Cinna	Patrick Raftery
Il Sommo Sacerdote	Dimitri Kavrakos
Il capo degli Aruspici	Aldo Bramante
Un Console	Silvestro Sammaritano
Giulia	Karen Huffstodt
La Gran Vestale	Denyce Graves

2. April 1994
Gaetano Donizetti
Don Pasquale

Dirigent: Riccardo Muti
Inszenierung: Stefano Vizioli
Bühnenbild: Susanna Rossi Jost
Kostüme: Roberta Guidi di Bagno

Don Pasquale	Bruno de Simone
Dottor Malatesta	Roberto Frontali
Ernesto	Vicente Ombuena
Norina	Eva Mei
Un notaio	Silvestro Sammaritano

15. Mai 1994
Giuseppe Verdi
Rigoletto

Dirigent: Riccardo Muti
Inszenierung: Gilbert Deflo
Bühnenbild: Ezio Frigerio
Kostüme: Franca Squarciapina

Il Duca di Mantova	Roberto Alagna
Rigoletto	Renato Bruson
Gilda	Andrea Rost
Il Conte di Monterone	Giorgio Giuseppini
Sparafucile	Dimitri Kavrakos
Maddalena	Mariana Pentcheva

Diskographie

(zur Zeit lieferbare Einspielungen)

Philips Classics

Johannes Brahms
*Die vier Sinfonien (Nr. 1 op. 68
c-moll, Nr. 2 op. 73 D-Dur, Nr. 3
op. 90 F-Dur, Nr. 4 op. 98 e-moll)
Variationen op. 56 a über ein
Thema von Haydn für Orchester
Akademische Fest-Ouvertüre op. 80
Tragische Ouvertüre op. 81
Rhapsodie op. 53 für Altsolo, Män-
nerchor und Orchester*
  Jessye Norman · Choral Arts
  Society of Philadelphia · Phil-
  adelphia Orchestra
  Riccardo Muti
  4 CDs 434 867-2 Digital

*Sinfonie Nr. 1
Variationen über ein Thema von
Haydn für Orchester*
  Philadelphia Orchestra
  Riccardo Muti
  CD 426 299-2 (LP) Digital

*Sinfonie Nr. 2
Akademische Fest-Ouvertüre*
  Philadelphia Orchestra
  Riccardo Muti
  CD 422 334-2 Digital

*Sinfonie Nr. 3
Rhapsodie für Altsolo, Männerchor
und Orchester*
  Jessye Norman · Choral Arts
  Society of Philadelphia ·
  Philadelphia Orchestra
  Riccardo Muti
  CD 426 253-2 (DCC) Digital

*Sinfonie Nr. 4
Tragische Ouvertüre*
  Philadelphia Orchestra
  Riccardo Muti
  CD 422 337-2 Digital

Joseph Haydn
*Die sieben letzten Worte unseres
Erlösers am Kreuze
Instr.-Fassung*
  Berliner Philharmoniker
  Riccardo Muti
  CD 434 994-2 Digital

Ruggero Leoncavallo
I Pagliacci
  Luciano Pavarotti · Daniela
  Dessi · Juan Pons · Paolo Coni ·

Ernesto Gavazzi
Philadelphia Boys Choir · Westminster Symphonic Choir · Philadelphia Orchestra
Riccardo Muti
CD 434 131-2 (DCC) Digital
(Internationale Version)
CD 438 132-2 (U. S. A. Version)

Wolfgang Amadeus Mozart
Sinfonien Nr. 36 KV 425 C-Dur (Linzer Sinfonie) und Nr. 40 KV 500 g-moll
Wiener Philharmoniker
Riccardo Muti
CD 434 107-2 (DCC) Digital

Modest Mussorgsky
Bilder einer Ausstellung (Orchesterfassung von Maurice Ravel)
Eine Nacht auf dem Kahlen Berge
Philadelphia Orchestra
Riccardo Muti
CD 432 170-2 (MC/DCC) Digital

Serge Prokofieff
Sinfonie Nr. 1 op. 25 D-Dur (Klassische Sinfonie)
Sinfonie Nr. 3 op. 44 c-moll
Philadelphia Orchestra
Riccardo Muti
CD 432 992-2 Digital

Sinfonie Nr. 5 op. 100 B-Dur
Die Begegnung von Wolga und Don op. 130
Philadelphia Orchestra
Riccardo Muti
CD 432 083-2 Digital

Giacomo Puccini
Tosca
Carol Vaness · Giuseppe Giacomini · Charles Austin · Danilo Serraiocco · Pierro de Palma · Orazio Mori · Alfredo Mariatti · Giorgio Zancanaro
Philadelphia Boys Choir · Westminster Symphonic Choir · Philadelphia Orchestra
Riccardo Muti
2 CDs 434 595-2 Digital

Gioacchino Rossini
Guglielmo Tell
Giorgio Zancanaro · Chris Merritt · Giorgio Surjan · Franco De Grandis · Amelia Felle · Luciano D'Intino · Vittorio Terranova · Alberto Noli · Luigi Roni · Cheryl Studer · Ernesto Gavazzi · Ernesto Panariello
Chor und Orchester des Teatro alla Scala Mailand
Riccardo Muti
4 CDs 422 391-2 Digital

Johann Strauß

Neujahrskonzert
mit Werken von Johann Strauß
Vater und Sohn
  Wiener Philharmoniker
  Riccardo Muti
  CD 438 493-2 (DCC/MC)
  Digital
  Französische Version:
  438 471-2 (MC)
  Italienische Version:
  438 019-2 (LP/MC)

Richard Strauss

Aus Italien op. 16 G-Dur. Sinfoni-
sche Fantasie
Don Juan op. 20. Tondichtung
nach Lenau
  Berliner Philharmoniker
  Riccardo Muti
  CD 422 399-2 Digital

LASER DISC und VHS

Ludwig van Beethoven

Konzerte für Klavier und Orchester
Nr. 4 op. 58 G-Dur und Nr. 5 op. 73
Es-Dur
  Claudio Arrau
  Philadelphia Orchestra
  London Symphony Orchestra
  Riccardo Muti · Sir Colin Davis
  Regie: Clark Santee & Hum-
  phrey Burton
  PAL/Laser Disc 070 122-1
  (2 Seiten) · PAL/VHS 070 122-3
  NTSC Laser Disc 070 222-1
  (2 Seiten) · NTSC/VHS
  070 222-3
  Eine Produktion von Classical
  Music Video Productions und
  Peter Rosen Productions, Inc./
  A Portobello Production in Ver-
  bindung mit Thames Television
  – AAD/DDD

Wolfgang Amadeus Mozart

Sinfonien Nr. 40 KV 500 g-moll und
Nr. 41 KV 551 C-Dur (Jupiter-Sin-
fonie)
  Wiener Philharmoniker
  Riccardo Muti
  Aufgenommen bei den Salzbur-
  ger Festspielen 1991
  PAL/Laser Disc 070 145-1
  (3 Seiten) · PAL/VHS 070 145-3
  NTSC/Laser Disc 070 245-1
  (3 Seiten) · NTSC/VHS 070 245-3
  Eine Produktion von ORF
  in Verbindung mit Philips Clas-
  sics Productions

Johann Strauß

Neujahrskonzert 1993
mit Werken von Johann Strauß
Vater und Sohn

Ballett der Wiener Staatsoper
Wiener Philharmoniker
Riccardo Muti
Regie: Brian Large
PAL/Laser Disc 070162-1
PAL/VHS 070162-3

NTSC/Laser Disc 070262-1
NTSC/VHS 070262-3
Eine Produktion von ORF,
ZDF, NHK in Verbindung mit
Philips Classics Productions

EMI Classics

Maurice André
J. S. Bach: Brandenburgisches Konzert BWV 1047 F-Dur
Joseph Haydn, G. Ph. Telemann,
Giuseppe Torelli: Trompetenkonzerte
　Philharmonia Orchestra
　Riccardo Muti
　CDC 7473112

Le Meilleur de moi-même:
J. S. Bach, Joseph Haydn, J. N.
Hummel, M. A. Charpentier, Henry
Purcell etc.
　Alfred Mitterhofer · Jane Parker-Smith
　Philharmonia Orchestra · Berliner Philharmoniker
　Riccardo Muti · Herbert von Karajan
　CDC 7494742

Ludwig van Beethoven
Sinfonien Nr. 1 op. 21 C-Dur und
Nr. 5 op. 67 c-moll

Philadelphia Orchestra
Riccardo Muti
CDC 7494882

Sinfonien Nr. 1, Nr. 5 und Nr. 9
op. 125 d-moll
　Cheryl Studer · Delores Ziegler ·
　Peter Seiffert · James Morris
　The Westminster Choir ·
　Philadelphia Orchestra
　Riccardo Muti
　Digital Twins
　CZS 7675552 (2 CD)

Sinfonien Nr. 2 op. 36 D-Dur und
Nr. 4 op. 60 B-Dur
　Philadelphia Orchestra
　Riccardo Muti
　CDC 7494892

Sinfonie Nr. 3 op. 55 Es-Dur
(Eroica)
Ouvertüren: Fidelio, Die Weihe des
Hauses
　Philadelphia Orchestra
　Riccardo Muti
　CDC 7494902

– 195 –

Sinfonie Nr. 6 op. 68 F-Dur (Pastorale)
Leonoren-Ouvertüre Nr. 3 op. 72 a
C-Dur
  Philadelphia Orchestra
  Riccardo Muti
  CDC 749491 2

Sinfonien Nr. 7 op. 92 A-Dur und
Nr. 8 op. 93 F-Dur
  Philadelphia Orchestra
  Riccardo Muti
  CDC 749492 2

Sinfonie Nr. 9
  Cheryl Studer · Delores Ziegler ·
  Peter Seiffert · James Morris
  The Westminster Choir ·
  Philadelphia Orchestra
  Riccardo Muti
  CDC 749493 2

Sinfonien
Ouvertüren: Leonore Nr. 3, Fidelio,
Die Weihe des Hauses
  Philadelphia Orchestra
  Riccardo Muti
  CDS 749487 2 (6 CD)

Konzert für Klavier und Orchester
Nr. 3 op. 37 c-moll
zusammen mit:
Wolfgang Amadeus Mozart
Konzert für Klavier und Orchester
Nr. 22 KV 482 Es-Dur
  Svjatoslav Richter
  Philharmonia Orchestra

Riccardo Muti
Studio + Plus
CDM 764750 2

Vincenzo Bellini
I Puritani
  Montserrat Caballé · Alfredo
  Kraus · Julia Hamari · Matteo
  Manuguerra · Agostino Ferrin
  Ambrosian Opera Chorus ·
  Philharmonia Orchestra
  Riccardo Muti
  CMS 769663 2 (3 CD)

Hector Berlioz
Symphonie fantastique
  Philadelphia Orchestra
  Riccardo Muti
  CDC 747278 2

Anton Bruckner
Sinfonie Nr. 4 E-Dur (Romantische)
  Berliner Philharmoniker
  Riccardo Muti
  CDC 747352 2

**Les plus célèbres chœurs
d'opéras**
Die Entführung aus dem Serail,
Die Zauberflöte, Fidelio, Nabucco,
Il Trovatore, La Traviata, Aida,
Otello, Madama Butterfly, Turan-

dot, *Faust, Carmen, Tannhäuser, Der fliegende Holländer, Lohengrin, Fürst Igor, Boris Godunow*
Verschiedene Orchester und Chöre
Karajan · Muti · Maazel · Prêtre · Haitink · Barbirolli · Cluytens · Krips · Schippers · Ceccato · Mehta · Lombard · Semkov
CDC 7498282

Luigi Cherubini
Krönungsmesse A-Dur für Karl X.
Philharmonia Chorus & Orchestra
Riccardo Muti
CDC 7493022

Krönungsmesse G-Dur für Ludwig XVIII.
London Philharmonic Chorus · The London Philharmonic
Riccardo Muti
CDC 7495532

Requiem in c-moll
Ambrosian Singers · Philharmonia Orchestra
Riccardo Muti
CDC 7496782

Requiem in d-moll
Ambrosian Singers · New Philharmonia Orchestra
Riccardo Muti
CDC 7493012

Requiem in d-moll
Requiem in c-moll
Krönungsmesse A-Dur
Krönungsmesse G-Dur
Ambrosian Singers · Philharmonia Chorus · London Philharmonic Chorus
New Philharmonia Orchestra · Philharmonia Orchestra · The London Philharmonic
Riccardo Muti
CMS 7631612 (4 CD)

Gaetano Donizetti
Don Pasquale
Mirella Freni · Sesto Bruscantini · Leo Nucci · Gösta Winbergh
Ambrosian Opera Chorus · Philharmonia Orchestra
Riccardo Muti
CDS 7470682 (2 CD)

Don Pasquale
Auszüge
Mirella Freni · Sesto Bruscantini · Leo Nucci · Gösta Winbergh
Ambrosian Opera Chorus · Philharmonia Orchestra
Riccardo Muti
CDC 7544902

Anton Dvořák
Konzert für Violine und Orchester op. 53 B a-moll

– *197* –

Romanze für Violine und Orchester
op. 11 f-moll
  Kyung-Wha Chung
  Philadelphia Orchestra
  Riccardo Muti
  CDC 7498582

¡España!
Emanuel Chabrier, Maurice Ravel,
Manuel de Falla
  Philadelphia Orchestra
  Riccardo Muti
  Studio
  CDM 7635722

César Franck
Sinfonie d-moll
Sinfonische Variationen für Klavier
und Orchester
Le Chasseur maudit. Sinfonische
Dichtung
  Alexis Weissenberg
  Orchestre de Paris · Philadel-
  phia Orchestra
  Herbert von Karajan · Riccardo
  Muti
  Studio + Plus
  CDM 7647472

Christoph Willibald Gluck
Orfeo ed Euridice
  Agnes Baltsa · Margaret Mar-
  shall · Edita Gruberova
  Ambrosian Opera Chorus ·

Philharmonia Orchestra
Riccardo Muti
CMS 7636372 (2 CD)

Georg Friedrich Händel
Wassermusik HV 348-350
  Berliner Philharmoniker
  Riccardo Muti
  CDC 7471452

Ruggero Leoncavallo
I Pagliacci
Pietro Mascagni
Cavalleria rusticana
  Renata Scotto · José Carreras ·
  Kari Nurmela · Ugo Benelli ·
  Thomas Allen · Montserrat
  Caballé · José Carreras · Matteo
  Manuguerra · Julia Hamari ·
  Astrid Varnay
  Ambrosian Opera Chorus ·
  Philharmonia Orchestra
  Riccardo Muti
  CMS 7636502 (2 CD)

I Pagliacci
Cavalleria rusticana
  Querschnitte
  José Carreras · Renata Scotto ·
  Kari Nurmela · Montserrat
  Caballé · José Carreras · Matteo
  Manuguerra
  Ambrosian Opera Chorus ·
  Philharmonia Orchestra
  Riccardo Muti
  CDM 7639332

Franz Liszt
Eine Faust-Sinfonie S. 513 (in
3 Charakterbildern)
Gösta Winbergh
Westminster Choir College
Male Chorus ·
Philadelphia Orchestra
Riccardo Muti
CDC 7490622

Wolfgang Amadeus Mozart
Konzerte für Violine und Orchester
Nr. 2 KV 211 D-Dur und Nr. 4
KV 218 D-Dur
Anne-Sophie Mutter
Philharmonia Orchestra
Riccardo Muti
CDC 7470112

Così fan tutte
Eine Produktion der Salzburger
Festspiele 1982
Margaret Marshall · Agnes
Baltsa · Francisco Araiza · James
Morris · Kathleen Battle · José
van Dam
Konzertvereinigung Wiener
Staatsopernchor ·
Wiener Philharmoniker
Riccardo Muti
CMS 7695802 (3 CD)

Don Giovanni
William Shimell · Samuel
Ramey · Cheryl Studer · Carol
Vaness · Frank Lopardo ·

Susanne Mentzer · Natale de
Carolis · Jan-Hendrik Rootering
Konzertvereinigung Wiener
Staatsopernchor ·
Wiener Philharmoniker
Riccardo Muti
CDS 7542552 (3 CD)

Don Giovanni
Querschnitt
William Shimell · Samuel
Ramey · Cheryl Studer · Carol
Vaness · Frank Lopardo ·
Susanne Mentzer · Natale de
Carolis
Wiener Philharmoniker
Riccardo Muti
CDC 7543232

Le nozze di Figaro
Thomas Allen · Margaret Price ·
Kathleen Battle · Jorma Hynni-
nen · Ann Murray · Kurt Rydl
Konzertvereinigung Wiener
Staatsopernchor ·
Wiener Philharmoniker
Riccardo Muti
CDS 7479788 (3 CD)

Le nozze di Figaro
Querschnitt
Thomas Allen · Margaret Price ·
Kathleen Battle · Jorma Hynni-
nen · Ann Murray · Kurt Rydl
Wiener Philharmoniker
Riccardo Muti
CDC 7543212

Requiem KV 626 d-moll
Ave verum corpus KV 618 D-Dur
  Patrizia Pace · Waltraud Meier ·
  Frank Lopardo · James Morris
  Schwedischer Rundfunkchor ·
  Stockholmer Kammerchor ·
  Berliner Philharmoniker
  Riccardo Muti
  CDC 749640 2

Modest Mussorgsky
Bilder einer Ausstellung (Orchester-
fassung von Maurice Ravel)
Igor Strawinsky
Le Sacre du printemps
  Philadelphia Orchestra
  Riccardo Muti
  Studio + Plus
  CDM 764516 2

Carl Orff
Carmina Burana
  Arleen Augér · John van Keste-
  ren · Jonathan Summers
  Philharmonia Chorus &
  Orchestra
  Riccardo Muti
  CDC 747100 2

Giovanni Battista Pergolesi
Lo frate 'nnamorato
  Amelia Felle · Nuccia Focile ·
  Alessandro Corbelli · Bruno de
  Simone · Bernadette Manca Di
  Nissa

  Orchester des Teatro alla Scala,
  Mailand
  Riccardo Muti
  CDS 754240 2 (3 CD)

Serge Prokofieff
Konzert für Klavier und Orchester
Nr. 1 op. 10 Des-Dur
Suggestion diabolique op. 4 Nr. 4
M. A. Balakirew
Islamey. Orientalische Fantasie für
Klavier
Peter Iljitsch Tschaikowsky
Konzert für Klavier und Orchester
Nr. 1 op. 23 b-moll
Thema und Variationen op. 19
Nr. 6
  Andrej Gawrilow
  Philharmonia Orchestra ·
  London Symphony Orchestra
  Riccardo Muti · Simon Rattle
  Studio + Plus
  CDM 764329 2

Serge Prokofieff
Romeo und Julia. Suiten Nr. 1
und 2
  Philadelphia Orchestra
  Riccardo Muti
  CDC 747004 2

Iwan der Schreckliche op. 116.
Filmmusik
  Irina Arkhipova · Anatoly
  Mokrenko · Boris Morgunov

Ambrosian Chorus ·
Philharmonia Orchestra
Riccardo Muti
Studio
CDM 7 695842

Sergej Rachmaninoff
Konzert für Klavier und Orchester
Nr. 2 op. 18 c-moll
Rhapsodie op. 43 nach einem
Thema von Paganini für Klavier
und Orchester
Andrej Gawrilow
Philadelphia Orchestra
Riccardo Muti
CDC 7 499662

Konzert für Klavier und Orchester
Nr. 3 op. 30 d-moll
Andrej Gawrilow
Philadelphia Orchestra
Riccardo Muti
CDC 7 490492

Maurice Ravel
Bolero
Peter Iljitsch Tschaikowsky
Ouvertüre 1812 op. 49
Franz Liszt
Les Préludes
Philadelphia Orchestra
Riccardo Muti
CDC 7 470222

Ottorino Respighi
Pini di Roma
Fontane di Roma
Feste romane
Philadelphia Orchestra
Riccardo Muti
CDC 7 473162

Svjatoslav Richter
spielt Mozart, Beethoven, Schu-
mann, Schubert, Grieg
Orchestre National de l'Opéra
de Monte Carlo ·
Philharmonia Orchestra
Lovro von Matacic · Riccardo
Muti
CZS 7 671972 (4 CD)

Nicolai Rimsky-Korssakoff
Scheherazade op. 35. Sinfonische
Dichtung nach 1001 Nacht
Philadelphia Orchestra
Riccardo Muti
CDC 7 470232

Gioacchino Rossini
Ouvertüren:
Il barbiere di Siviglia, Guillaume
Tell, La scala di seta, Semiramide,
Le Siège de Corinthe, Il viaggio a
Reims
Philharmonia Orchestra
Riccardo Muti
CDC 7 471182

Stabat Mater
Catherine Malfitano · Agnes
Baltsa · Robert Gambill ·
Gwynne Howell
Chor und Orchester des Maggio
Musicale Florenz
Riccardo Muti
CDC 7 47402 2

Franz Schubert
*Sinfonien Nr. 1 D 82 D-Dur und
Nr. 8 D 759 h-moll (Unvollendete)
op. posth.*
Wiener Philharmoniker
Riccardo Muti
CDC 7 540066 2

*Sinfonie Nr. 2 D 125 B-Dur
Ouvertüre: Die Zauberharfe
Rosamunde – Ballettmusiken*
Wiener Philharmoniker
Riccardo Muti
CDC 7 548732 2

*Sinfonien Nr. 3 D 200 D-Dur und
Nr. 5 D 485 B-Dur*
Wiener Philharmoniker
Riccardo Muti
CDC 7 498502 2

*Sinfonien Nr. 4 D 417 c-moll
(Tragische) und Nr. 6 D 589
C-Dur*
Wiener Philharmoniker
Riccardo Muti
CDC 7 497242 2

*Sinfonie Nr. 9 D 944 C-Dur (Die
Große)*
Wiener Philharmoniker
Riccardo Muti
CDC 7 476972 2

Sinfonien
Wiener Philharmoniker
Riccardo Muti
CMS 7 648732 (4 CD)

Robert Schumann
*Sinfonien
Ouvertüren: Hermann und Doro-
thea, Die Braut von Messina*
Philharmonia Orchestra ·
New Philharmonia Orchestra
Riccardo Muti
CZS 7 673192 (2 CD)

Die Konzerte
Daniel Barenboim · Paul Torte-
lier · Gidon Kremer
Philharmonia Orchestra ·
Royal Philharmonic Orchestra ·
Berliner Philharmoniker
Dietrich Fischer-Dieskau ·
Klaus Tennstedt · Yan-Pascal
Tortelier · Riccardo Muti
Rouge et Noir
CZS 7 675212 (2 CD)

Alexander Scriabin
*Sinfonien
Le Poème de l'extase
Prométhée, le poème du feu*

Stefania Toczyska · Michael
Myers · Dmitri Alexeev
The Choral Arts Society of
Philadelphia ·
Philadelphia Orchestra
Riccardo Muti
CDS 754251 2 (3 CD)

Le Poème de l'exstase
zusammen mit:
Peter Iljitsch Tschaikowsky
*Sinfonie Nr. 6 op. 74 h-moll (Pathé-
tique)*
Philadelphia Orchestra
Riccardo Muti
CDC 754061 2

Peter Iljitsch Tschaikowsky
Sinfonie Nr. 4 op. 36 f-moll
Dmitri Alexeev
The Choral Arts Society of
Philadelphia ·
Philadelphia Orchestra
Riccardo Muti
zusammen mit:
Alexander Scriabin
Prométhée, le poème du feu
CDC 754112 2

Dmitri Schostakowitsch
*Sinfonie Nr. 5 op. 47 D-Dur
Festliche Ouvertüre op. 96*
Philadelphia Orchestra
Riccardo Muti
CDC 754803 2

Igor Strawinsky
*Petruschka. Revidierte Fassung
1947
Le Sacre du printemps*
Philadelphia Orchestra
Riccardo Muti
CDC 747408 2

Peter Tschaikowsky
*Sinfonie Nr. 5 op. 64 e-moll
Francesca da Rimini op. 32. Orche-
sterfantasie nach Dante*
Philadelphia Orchestra
Riccardo Muti
CDC 754338 2

*Sinfonien
Romeo und Julia. Fantasie-Ouver-
türe nach Shakespeare*
Philharmonia Orchestra · New
Philharmonia Orchestra
Riccardo Muti
CZS 767314 2 (4 CD)

*Schwanensee-Suite
Dornröschen-Suite*
Philadelphia Orchestra
Riccardo Muti
CDC 747075 2

*The Tchaikovsky Box. The Essen-
tial Collection*
Itzhak Perlman · Andrej Gavri-
low · Vladimir Ashkenazy · Sir
John Barbirolli · Sir Thomas
Beecham · Mariss Jansons · Sir
Neville Marriner · Riccardo

Muti · Eugene Ormandy · Seiji
Ozawa · André Previn · Boris
Christoff
CZS 767700 2 (5 CD)

The Dance Album
Sir John Barbirolli · Sir Thomas
Beecham · John Lanchbery ·
Riccardo Muti · André Previn
CDC 7 547778 2

*Manfred op. 58 h-moll. Sinfonie in
4 Bildern nach Byron*
Philharmonia Orchestra
Riccardo Muti
Studio + Plus
CDM 7 648722

Giuseppe Verdi
*Opernchöre, Ouvertüren, Ballett-
musik:*
*Nabucco, I Lombardi, Macbeth, Il
Trovatore, I vespri siciliani,
La forza del destino, Aida*
Ambrosian Opera Chorus ·
Chor des Royal Opera House
Covent Garden ·
Philharmonia Orchestra ·
New Philharmonia Orchestra
Riccardo Muti
CDC 7 472742

Opernchöre
Chor und Orchester des Teatro
alla Scala, Mailand
Riccardo Muti
CDC 7 544842

Aida
Montserrat Caballé · Placido
Domingo · Fiorenza Cossotto ·
Nicolai Ghiaurov · Piero Cap-
puccilli
Chor des Royal Opera House
Covent Garden ·
New Philharmonia Orchestra
Riccardo Muti
CDS 7 472718 (3 CD)

Aida
Querschnitt
Montserrat Caballé · Placido
Domingo · Fiorenza Cossotto ·
Nicolai Ghiaurov · Piero Cap-
puccilli
Chor des Royal Opera House
Covent Garden ·
New Philharmonia Orchestra
Riccardo Muti
Studio
CDM 7 634502

Attila
Samuel Ramey · Cheryl Studer ·
Neil Shicoff · Giorgio Zanca-
naro
Chor und Orchester des Teatro
alla Scala, Mailand
Riccardo Muti
CDS 7 499522 (2 CD)

Un ballo in maschera
Martina Arroyo · Placido
Domingo · Piero Cappuccilli ·
Fiorenza Cossotto · Reri Grist

– 204 –

Haberdashers' Aske's Girls'
School Chorus ·
Chor des Royal Opera House
Covent Garden ·
New Philharmonia Orchestra
Riccardo Muti
CMS 7 695762 (2 CD)

Ernani
Placido Domingo · Mirella
Freni · Renato Bruson · Nicolai
Ghiaurov
Chor und Orchester des Teatro
alla Scala, Mailand
Riccardo Muti
CDS 7 470838 (3 CD)

La forza del destino
Mirella Freni · Dolora Zajic ·
Placido Domingo · Giorgio Sur-
jan · Giorgio Zancanaro · Paul
Plishka · Sesto Bruscantini
Chor und Orchester des Teatro
alla Scala, Mailand
Riccardo Muti
CDS 7 474858 (3 CD)

La forza del destino
Querschnitt
Mirella Freni · Dolora Zajic ·
Placido Domingo · Giorgio Sur-
jan · Giorgio Zancanaro · Paul
Plishka
Chor und Orchester des Teatro
alla Scala, Mailand
Riccardo Muti
CDC 7 543262

Macbeth
Fiorenza Cossotto · Sherrill
Milnes · José Carreras · Ruggero
Raimondi
Ambrosian Opera Chorus ·
New Philharmonia Orchestra
Riccardo Muti
CMS 7 643392 (2 CD)

Nabucco
Matteo Manuguerra · Veriano
Lucchetti · Nicolai Ghiaurov ·
Renata Scotto · Elena Obra-
ztsova
Ambrosian Opera Chorus ·
Philharmonia Orchestra
Riccardo Muti
CDS 7 474888 (2 CD)

Nabucco
Querschnitt
Renata Scotto · Elena Obra-
ztsova · Matteo Manuguerra ·
Nicolai Ghiaurov
Ambrosian Opera Chorus ·
Philharmonia Orchestra
Riccardo Muti
Studio
CDM 7 630922

Rigoletto
Giorgio Zancanaro · Daniela
Dessì · Paata Burchuladze · Vin-
cenzo la Scola
Chor und Orchester des Teatro
alla Scala, Mailand
Riccardo Muti
CDS 7 496052 (2 CD)

– 205 –

Rigoletto
 Querschnitt
 Daniella Dessi · Vincenzo la
 Scola · Giorgio Zancanaro ·
 Paata Burchuladze
 Chor und Orchester des Teatro
 alla Scala, Mailand
 Riccardo Muti
 CDC 7544952

La Traviata
 Renata Scotto · Alfredo Kraus ·
 Renato Bruson
 Ambrosian Opera Chorus ·
 Philharmonia Orchestra
 Riccardo Muti
 CDS 7475388 (2 CD)

La Traviata
 Querschnitt
 Renata Scotto · Alfredo Kraus ·
 Renato Bruson
 Ambrosian Opera Chorus ·
 Philharmonia Orchestra
 Riccardo Muti
 Studio
 CDM 7630882

I vespri siciliani
 Cheryl Studer · Chris Merritt ·
 Giorgio Zancanaro · Ferruccio
 Furlanetto
 Chor und Orchester des Teatro
 alla Scala, Mailand
 Riccardo Muti
 CDS 7540432 (3 CD)

Quattro pezzi sacri
 Arleen Augér
 Schwedischer Rundfunkchor ·
 Stockholmer Kammerchor ·
 Berliner Philharmoniker
 Riccardo Muti
 CDC 7470662

Messa da Requiem
 Cheryl Studer · Dolora Zajic ·
 Luciano Pavarotti · Samuel
 Ramey
 Chor und Orchester des Teatro
 alla Scala, Mailand
 Riccardo Muti
 CDS 7493902 (2 CD)

Don Carlo
 Live Recording
 Luciano Pavarotti · Samuel
 Ramey · Daniella Dessi · Paolo
 Coni · Luciana d'Intino · Alex-
 ander Anisimov
 Chor und Orchester des Teatro
 alla Scala, Mailand
 Riccardo Muti
 CDS 7548672 (3 CD)

Antonio Vivaldi
*Gloria R 589 D-Dur für Soli, Chor
und Orchester*
Magnificat R 611
 Teresa Berganza · Lucia Valen-
 tini-Terrani
 New Philharmonia Chorus &
 Orchestra
 Riccardo Muti
 CDC 7479902

Sony Classics

Luigi Cherubini
Lodoïska
Mariella Devia · Bernard Lom-
bardo · Thomas Moser · Ales-
sandro Corbelli · William
Shimell · Mario Luperi
Chor und Orchester des Teatro
alla Scala, Mailand
Riccardo Muti
2 CDs 47290

Christoph Willibald Gluck
Iphigénie en Tauride
Carol Vaness · Gösta Wind-
bergh · Thomas Allen · Giorgio
Surjan
Chor und Orchester des Teatro
alla Scala, Mailand
Riccardo Muti
2 CDs 52492

Giuseppe Verdi
La Traviata
Tiziana Fabbricini · Roberto
Alagna · Paolo Coni
Chor und Orchester des Teatro
alla Scala, Mailand
Riccardo Muti
2 CDs 52486

Ferruccio Busoni
Turandot. Suite op. 41
Alfredo Casella
Paganiniana op. 65
Giuseppe Martucci
Notturno op. 70, Nr. 1
Novelletta op. 82, Giga op. 61, Nr. 3
Orchestra Filarmonica della
Scala di Milano
Riccardo Muti
1 CD 53280
Laser Disc und VHS

LASER DISC und VHS

Giuseppe Verdi
La Traviata
s. o.
VHS 48353-2
LD 48353-5

Luigi Cherubini
*Krönungsmesse G-Dur für Lud-
wig XVIII.*
Chor und Orchester des Teatro
alla Scala, Mailand
Riccardo Muti
Ravenna Festival 1991
VHS 48350-2
LD 48350-5

Joseph Haydn

Die Schöpfung
  Lucia Popp · Iris Vermillion ·
  Francisco Araiza · Olaf Bär ·
  Samuel Ramey
  Konzertvereinigung Wiener
  Staatsopernchor ·
  Wiener Philharmoniker
  Riccardo Muti
  VHS 46391-2
  LD 46391-5

Franz Schubert

Sinfonie Nr. 7 (8) D 759 h-moll
(Unvollendete)

Gustav Mahler

5 Lieder nach Gedichten von Friedrich Rückert

Ludwig van Beethoven

Ouvertüre: Coriolan

Felix Mendelssohn Bartholdy

Sinfonie Nr. 4 op. 90 A-Dur (Italienische)

Maurice Ravel

Bolero
  Jubiläumskonzert 150 Jahre
  Wiener Philharmoniker
  Christa Ludwig
  Riccardo Muti
  VHS 48351-2

Namenregister

A

Abbado, Claudio 13, 28, 69, 132

Alfredo (Restaurantbesitzer) 64

Annunzio, Gabriele d' 105

Archer, Jeffrey 21

Armani, Giorgio 106

B

Bach, Johann Sebastian 45, 73, 116f

Baker, Janet 61

Baltsa, Agnes 154

Barber, Samuel 36

Barenboim, Daniel 70

Beatles 18, 77f

Beethoven, Ludwig van 18, 44, 73f, 77, 100, 114, 117, 136

Bellini, Vincenzo 33

Beraldi (Architekt) 89

Berlioz, Hector 61

Bertolo, Giulio 116

Bianchi, Bianca 134

Böhm, Karl 28, 31, 68f

Bogarde, Dirk 106

Botticelli, Sandro 66f

Brahms, Johannes 18, 74, 100

Bruckner, Anton 68

Byron, George Gordon Lord 97f

C

Cantelli, Guido 116

Cézanne, Paul 157

Cherubini, Luigi 117, 135, 161

Cimarosa, Domenico 53

Corinth, Lovis 159

Corinth, Wilhelmine 159

D

Dahl, Roald 21

Dante Alighieri 75

Donizetti, Gaetano 56

Dünser, Margret 106

Dürrenmatt, Friedrich 20

F

Fallaci, Oriana 79, 105

Farah Diba, Exkaiserin des Iran 106

Fassbaender, Brigitte 21

Frescobaldi, Marchesa Teresa Patrizi Montoro Dei 48

Furtwängler, Wilhelm 41, 68, 71, 136

» Spiel jeden Ton so, als ob es um dein Leben ginge!«

FRIEDRICH
GULDA
LANGEN MÜLLER

Aus Gesprächen
mit Kurt Hofmann

Langen Müller

Über sein Leben und seine unvergleichliche Karriere, die mit Skandalen und Provokationen durchzogen ist, spricht der eigenwillige Bach-, Beethoven-, Debussy- und Mozartinterpret sowie leidenschaftliche Jazzpianist mit dem renommierten österreichischen Journalisten Kurt Hofmann.

Tradition und Gegenwart eines der führenden deutschen Opernhäuser

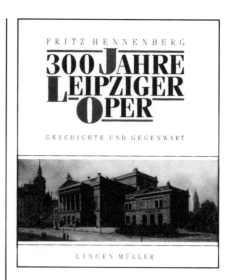

FRITZ HENNENBERG

300 JAHRE LEIPZIGER OPER

GESCHICHTE UND GEGENWART

LANGEN MÜLLER

Langen Müller

Ein Prachtband mit einer Fülle beeindruckender Abbildungen, überraschender Dokumente und sowohl informativer als auch unterhaltsamer Texte. Die fesselnde Darstellung eines traditionsreichen deutschen Opernhauses.

Der leuchtende Abglanz von Sternstunden lebendigen Musiktheaters

»DAS KLINGET SO HERRLICH,
DAS KLINGET SO SCHÖN«
DIE SÄNGER DER MOZART-OPERN
BEI DEN SALZBURGER FESTSPIELEN
HERAUSGEGEBEN VON
EDDA FUHRICH UND GISELA PROSSNITZ

LANGEN MÜLLER

Langen Müller

Dieser üppig ausgestattete, großformatige Bildband ist eine Hommage an Mozart und seine bedeutendsten Interpreten: Dirigenten, Regisseure und – vor allem – Sängerpersönlichkeiten unseres Jahrhunderts.

Erweiterte
Neuausgabe
zum 125.
Geburtstag

Langen Müller

Die erste Biographie, die das Leben und Schaffen des Künstlers als untrennbare Einheit betrachtet und ihn aus dem Schatten seines Vaters Richard hervortreten läßt.